講談社文庫

勇気凜凜ルリの色
四十肩と恋愛

浅田次郎

講談社

勇気凜凜ルリの色　四十肩と恋愛　目次

勇気凜凜ルリの色　四十肩と恋愛

禽獣《きんじゅう》について

九歳のとき家業が没落して、一家離散の憂き目に遭った。

物心ついてからそれまでの暮しが豪奢《ごうしゃ》をきわめていたので、突然の没落に何が何やらさっぱりわからぬまま、私とすぐ上の兄は遠縁の家に引き取られたのであった。

自家用車などというものは全くない時代に、私は運転手つきのダッジに乗り、お付き女中にランドセルを持たせて私立の小学校に通っていた。そんな生活がある日突然ご破算になり、父母は失踪し、使用人たちもどこかに消えてしまい、子供らだけがぼんやりと数日間を過ごしていたところに、さほど親しくはなかった親類が救出に来てくれたのであった。

とりあえず身の回りの物だけを持って引き取られることになったのだが、子供の手に持てる物といえば勉強道具と着替えが精いっぱいであった。それまでの生活が生活であったから、捨てなければならない物が多すぎた。

どうしても捨てたくない物が二つあった。

ひとつは母が買ってくれたヴァイオリンで、それは失踪した母に対する思慕というより、純然たるヴァイオリンへの愛着のために、捨てたくはなかった。

いまだにクラシック・コンサートに足繁く通い、ことにヴァイオリン・コンツェルトを好んで聴くのは、こうした幼時体験によるのかもしれない。もしかしたら小説を書くことは、満たされなかった夢の代償行為なのであろうかと思うこともある。

もちろん、ヴァイオリンは捨てた。

もうひとつの捨てがたかった物とは、猫であった。

これは「ミーコ」という雑種の赤猫で、たいそう私になついていた。名を呼べばどこからでも飛んで来て、毎晩私と一緒に寝た。だがふしぎなことに、私が家を去るその日に限って、呼べど叫べど姿を現さないのであった。猫はたいへん勘の鋭い動物であるから、おそらく家に起こった変事を察したのであろう。

百数える間に出てこなかったら諦めろと兄が言うので、私は家の回りをぐるぐる歩きながら、なるべくゆっくりと百を勘定した。

ミーコは帰ってこなかった。私は私の茶碗に飯をてんこ盛りし、あるったけの鰹節をかいて裏庭に置いてきた。

考えてみれば、私が猫を捨てるはめになったのは、私が親に捨てられた結果なのだけれど、だからこそ猫を捨てることには気がとがめた。罪悪感とか良心の所在とかいうものを私が意識したのは、たぶんそのときが初めてであろう。

どんな事情があろうとも、愛し愛された猫を捨てることは許されざる罪悪だと感じた。ふしぎなことに、このときの罪悪感だけは今も拭えない。

没落した家の裏庭にあかあかと沈む夕日と、てんこ盛りの飯茶碗。この風景は明らかに小説家としての私の、原風景であろう。

ところで、私は現在五匹の猫と一匹の犬を飼っている。いや、飼っているという言葉はまったくそぐわない。ともに暮している。

長じて環境が許すようになってからは、禽獣を手放したことがない。数年前には犬猫合計十三匹、その他に雀、蛇、モグラ、コウモリ、という状況もあって、さすがにそのころは自分が人間であるという自覚さえなかった。

当然のことながら家の中は猖獗《しょうけつ》をきわめており、餌代は人間のそれを遥かに上回り、巨額の医者代を確定申告して税務署から大目玉をくらったという苦い経験もある。

しかし悲しいことに、禽獣もあまり頭数が多すぎると自然淘汰してしまう。生れた子供はほとんど育たず、また仲間たちとの折が合わずに出奔してしまうものも跡を絶たない。で、現在の犬一匹猫五匹の勢力に少数安定したのであるが、どうやらこの定数は人間にとっても彼らにとってもきわめて平和な状況であるらしい。

死なれることは何より辛いから、当分はこの勢力を堅持しようと考えている。

かつて同居した禽獣の数は、のべ百匹を下らないであろう。だとすると、私はミーコを始めとして九十余匹の禽獣たちと、死に別れ生き別れてきたことになる。意識してはいなかったが、これもまた小説家としての私の、原体験となっているのかもしれない。

もう一匹、どうしても忘れがたい猫がいる。数年前に同居した雉子虎《きじとら》の牝で、名前を「斎藤民子」という。変な名前だが、犬猫はまさか私と血縁があるわけではないので、わが家の風習としてしばしばこういう命名をする。

民子はもともと野良猫で、庭の餌場に通っているうちに書斎に住みついた。たいへん聡明な猫で、人語をよく解し、またわかりやすい猫語を話した。たぶん野良猫というより、生家が没落したか何かで、巷《ちまた》をさまよっていたのであろう。悪いから詳しい事情はきかなかった。

民子のまことに聡明であった点は、私の仕事をよく理解していたことである。私は物語がうまくはかどらないと猫に当たる悪い癖があるので、いざ机に向かうと誰も寄りつかない。

しかし民子は、苦悶《くもん》する私のかたわらにいつもいてくれた。むしろ原稿を書き出すと、どこからともなく近づいてきて、必ず手の届くところに座るのである。私は書き上がった原稿を文机《ふづくえ》の左に重ねて行く。すると彼女は、興味深くそれを読むのである。決して出来ばえに文句はつけない。「どうだ?」と訊くときまって、「いいわよ」とか「良く書けてる、その調子」とか答えてくれる。他の猫たちがよくそうして殴られるように、原稿用紙の上に乗ることも、またぐことも、飛びこえることもなかった。

そんな民子が失踪したのは、寒い冬の日のことであった。彼女が当時、家中を仕切っていた隻眼《せきがん》の巨猫「小笠原チョロ」に憎まれていることは、うすうす気付いていた。小笠原にはたびたび説諭したのであるが、彼は捨て猫という出自の卑しさもあって、私の言うことを余りきかない。私をさしおいて、家長は俺だという許しがたい傲慢さも持っていた。

小笠原にいじめ抜かれて、彼女は家を出たのだと思う。民子の身を案じて私は、朝に晩に愛犬「平岡パンチ」と肩乗り猫「稲田ミルク」を連れて捜索に出かけた。

しかし私たちの努力もむなしく、斎藤民子の行方は杳《よう》として知れなかった。美しく聡明な民子のことであるから、きっとどこかの家に飼われているにちがいないと、そう思うことにした。平岡も稲田も私のこの見解は正しいと言うので、朝晩の捜索は打ち切った。

忘れもしない、クリスマスの夜のことである。その晩、平岡はクリスマスケーキを食いすぎて吐き、稲田はシャンペンで悪酔いをし、小笠原はこともあろうに泥酔した稲田を犯した。杯盤狼藉《はいばんろうぜき》の限りをつくして人も犬猫もそこいらにブッ倒れて寝静まった夜更け、民子がひょっこりと帰って来たのである。

そのとき私は、長篇小説の仕上げにかかっていた。か細い鳴声に振り返ると、見るかげもなく痩せ衰えた民子が、書斎の戸口に座っているのであった。半月ぶりの帰宅であった。

何か食わそうと思っても口にしない。夜更けのこととて獣医に見せるわけにもいかず、仕方なく毛布にくるんで膝に抱いた。民子は大団円の十枚ばかりを、膝に横たわったまま読んだ。

夜の明け染《そ》めるころ、私は稿を脱けた。すると民子は膝を脱け出して原稿の束を見下し、とてもいい声でにゃあにゃあと鳴いた。あいにく、その猫語を私は解さなかった。美しい雉子毛《きじげ》は身づくろいもできぬままに凝り固まっており、歩くたびに腰が落ちる感じでよろめいた。長年の勘で、私はもうだめだなと思った。

それでも民子は、私をじっと見つめ、声をふりしぼってにゃあにゃあと泣いた。鳴いたのではなく、泣いていた。

そしてよろめきながら、どこかへ行ってしまった。彼女が何のために帰宅し、懸命に何を言ったのか、わかったのは後のことだ。

七百枚余の原稿が上梓《じょうし》されたとき、どうしてこんなに人間の言葉が書けるのに、あのときの民子の声を理解できなかったのだろうと、私は悔いた。

良識について

オウムによる坂本弁護士一家殺害事件は、思い出すだにおぞましく、憤満やるかたない。オウムの存在とその出現をめぐって、われわれが今、一番考えねばならない問題とは何であろう。少くともそれは、髪を逆立てて怒ることではなく、臨《しおから》をくつがえして歎くことではあるまい。

まことに信じ難い事件ではあるが、オウムが出現し、しかも犯罪を犯しながらかくも長きにわたって彼らが社会に存在したのは厳然たる事実であるのだから、われわれはその出現と存在の理由について、合理的に科学的に究明していかねばならぬと思う。すなわち、歎くよりも怒るよりもまず、われらの内なるオウムの存在に気付かねばなるまい。

彼らの所業は悪魔のそれであるが、肉体の構造も生育環境も、さほどわれわれと異っているわけではない。したがってわれわれの心の中にも生活のうちにも、必ずオウムは潜んでいると思うのである。

——などと、宗教家のような考えをめぐらしながら、先ほど銭湯に行った。

湯舟も洗場もサウナ・ルームも、歎きと怒りに充ち満ちていた。かくいう私も、若い時分は血も涙もねえ野郎だと言われたのであるが、年齢とともにすっかりヤキが回ってしまい、噂話の中に龍彦ちゃんの笑顔を思いうかべては汗にまぎれて涙した。

と、おっさんたちが汗と涙にくれるサウナ・ルームに、突如として極めて行儀の悪い少年が二人、闖入《ちんにゅう》してきた。

小学校高学年とおぼしき二人の少年は、いったい何を食い、どうやって遊んでいるのかは知らんが、ともに豚のごとく肥えていた。

以下、豚少年の会話。

「おまえんち、親は心配しないのかよ」

「フロヤなら心配しねえよ。ゲーセンとかコンビニだと怒るけど、ダイエットだもんな」

「塾の帰りにサウナっての、いいよな。怒られないし、ダイエットできるし、たった七百円だぜ」

「よおし、一キロ落とすぞォ」

少年たちの置かれている状況はだいたいわかった。不愉快ではあるが、不自然ではない。周囲の大人たちも、まあそのあたりは理解したようで、しきりに苦笑していた。

ところが、少年たちはやがて我慢のならぬ行動を始めた。ひんぱんにサウナ・ルームの出入をくり返す。そのつど水風呂に飛びこみ、ビショビショの体でまた入ってくる。いかに豚少年とはいえ、子供の肉体がサウナに適さぬことは自明であるから、当然そのような入り方になるのであろうが、問題はマナーである。

塾の帰りに銭湯に寄るのも、風呂銭を「たった七百円」と認識するのも、それは個人と家庭の見識であるのだからとやかくは言えない。しかし公共の場におけるマナーを知らず、また親が教えないということはけしからん。実にけしからん。

ところで、全く意外であったのは、周囲の居並ぶジジイどもが少年たちの無礼をいっこうにとがめようとはしないことである。

私は公共の場での作法にはやかましい下町育ちなので、思わず昔おのれがそうされたように少年の頭を張り倒そうとしたが、多少のビジター意識からグッとこらえた。やがて少年たちはサウナに飽き、湯舟で遊び始めた。

以下、サウナ・ルームにおけるジジイどもの会話。

「まったく、今の子はかわいそうだねえ。何の楽しみもなくって」

「勉強勉強で、フロに来てストレス解消してるんでしょうな」

「そう考えれば、私ら食う物食わずに育ったけど、あんまりやかましいことも言われなかったし、楽しかったですな」

と、ジジイの一人は賛意を求めるように、私に向かって微笑した。おそらく、オウム談議の続きで、私が「いやあ、まったくですなあ」、とか言うとでも思ったのであろう。

そこで私は切れた。私はリベラリストではあるが、銭湯の平和のために社会秩序を見失うような安っぽいリベラリズムは持ち合わせていない。

「ケッ、ばっかくせえ！」

と、突然お里まるだしのオヤジに豹変してサウナ・ルームを出た。

いかんいかん、せっかく標準語をマスターし、言文一致の生活をうちたてたのだから、非文化的な言動は慎まなくては、と切れた回線を修復しようとしたのもつかの間、湯舟で遊ぶ少年たちの無法ぶりを目撃したとたん、私は再び切れた。

あろうことか豚少年どもは、バスタオルを腰に巻いたまま湯舟に沈んでいたのである。しかも蛇口からはジャージャーと水を流しっぱなしにしているではないか。

とりあえず二つの頭を張り倒し、水を止めた。同時に日ごろから心がけている言文一致の自戒は、ガラガラと音立てて崩れ去った。

「おい坊主。てめえんちのフロじゃねえんだ。勝手にうめるな」

少年たちがわけもわからずに呆然としたのは、日ごろ頭を張り倒されたことがなく、あまり叱られたこともないせいであろう。

「それとな、湯舟の中にタオルを入れるんじゃねえ。ましてやバスタオルたア、どういう了《りよう》箇《けん》だ」

　ふいに見知らぬオヤジに叱られても、少年たちがとっさに行いを改めようとしないのは、湯舟にタオルを入れてはならないという常識を知らないからであろう。

「おめえらんちは何かい、湯舟にタオルを入れてもかまわねえのかい」

　すると少年たちは首を横に振った。つまりそのぐらいの躾《しつ》けはされているのである。ならばどうして銭湯では違う行動をとるのか。

　少年の一人が口にした言葉は、少なからず私を愕《おど》かせた。

「だって、テレビではこうやって入ってるから」

　なるほどテレビの旅グルメ番組で、レポーターたちはみなそうやって湯舟に浸っている。

　ハハア、と私は了簡した。要するに私らのころの長屋のガキとはちがい、少年たちは立派なユニットバスを備えた家から、わざわざ銭湯に来ているのである。彼らにとっての銭湯とは、自宅のフロとは全く異質の代物《しろもの》であり、フロというよりテレビで見る温泉に近い存在なのであろう。そして——彼らにとって、テレビの映像は「良識」であり、「正義」なのである。

　そう考えついたとたん、私の回路はたちまち復旧した。怒ったり歎いたりしている場合ではないのである。私の今なすべきことは、目の前にある厳粛な事実を、おのれの内なるものとして冷静に受け止めねばならない。

「あのねえ、君たち。テレビに映るものが何でも正しいわけじゃないんだよ。レポーターの人のちんちんなんて見せちゃいけないから、仕方なくああやってタオルを腰に巻いているだけで、ほんとうはいけないことなんだ。わかるかね」

「ウソだア。だったらモザイクかけりゃいいじゃないか」

すべてを納得させることは不可能であった。なぜなら彼らは彼らの生活の中であらかじめ規定された良識が、すでにあるからである。塾通いの必然性、テレビに対する信仰、豚のごとく肥えてしまった体、そして大人たちの沈黙。かくて少年たちは連れ立って夜更《よふ》けの銭湯を訪れ、バスタオルを巻いたまま湯舟に入ってしまったのである。

豚少年たちは結局、私の言うことは理解できぬまま帰って行った。

もちろん不倶《ふぐ》戴天《たいてん》のオウムを弁護するつもりはない。ただ、案外われわれの身近に、オウムを生み出した土壌があるのではないかと思うのである。だとすると、われわれはみな、すでに生活の中において善と悪との正当な認識力を欠いており、ただひとりそれを正確に知っていた弁護士が、命を落としたことになりはすまいか。ただひとりそれを正確に教えた聡明な母親が、万斛《ばんこく》の涙を流したことになりはすまいか。

ふたたび鬼畜について

その夜、少女は近所の文房具店にノートを買いに行った。

買物をおえ、交叉点で信号待ちをしていた少女は、突然三人の屈強な米兵に拉致《らち》された。車に押しこまれ、目も口も手もガムテープでぐるぐる巻きにされて、一・五キロ離れたひとけのない農道へと連れ去られた。そして——こんないまわしい言葉は書くことだに辛いが、十二歳の少女は怪物のような三人の米兵に、かわるがわる強姦されたのである。

一時間の後、少女は血まみれの体をひきずって民家に救いを求め、そこから自宅に電話をした。

これは、わが日本のいつに変わらぬ日常の中で起こった事件である。「遺憾に思う」などという政治用語は聞きたくもない。

考えてもみてくれ。文房具店にノートを買いに行った少女が、無理無体に拐《さら》われ、異国の兵士たちにぼろぼろに凌辱されて捨てられたのである。こうした極悪非道の、鬼畜にも劣る犯罪について、あたかも貿易交渉に際して使われるような「遺憾に思う」などという言葉は誠に不適切である。

事件というものは何につけても同じだが、被害者の立場に立ち、その苦痛を理解しようとしなければ何ら本質的な解決を見ない。「遺憾に思う」という為政者たちの発言には、こうした認識が徹底的に欠けている。

少女が凌辱され捨てられた場所は、見渡す限りのサトウキビとイモの畑であった。どうか彼女が泣きながら真暗な畦道《あぜみち》を歩いて行く姿を想像して欲しい。苦痛と恐怖でいっぱいになった少女の胸には、安保も地位協定も、米軍の隊員教育もくそもないのである。政治家も兵士もジャーナリストも、遺憾に思うよりもまず、引き裂かれた少女の後を追って、真暗な畦道を歩かなければならない。

ところで、遊説先でこの事件に対応したクリントンの姿を、読者はご覧になったであろうか。もし私の見まちがいでなければ、彼はなぜか背後にジャズ・バンドを従えたステージの上で、例の世間知らずなお坊っちゃまスマイルをふりまきながら、こう言った。

「怒りを感じており、事件を極めて遺憾に思う」、と。

私はそのとたん思わず徹夜明けのベッドからはね起き、「てめえが怒る筋合いじゃねえだろう、この唐変木《とうへんぼく》!」と、罵《ののし》った。

ここで週刊現代を購読なさっている米国人読者のために注釈を加えておく。「唐変木」とは東京の下町方言で「もののわからない無知で非常識なやつ」あるいは「まぬけ」「わからずや」「クレイジー」、さらに的確に言うなら「教養も良識もないまま図体ばかりがデカくなったみっともない大木」のことである。

強力な対抗馬の出現に恐れをなしたクリントンは、遊説中に深刻な顔を見せてはならないのかも知れない。だが、あの一瞬の画像を目撃した日本国民は、全員が米国大統領に対する信頼と友情を失った。そしてたぶん、同じ年頃の子供を持つ米国民も同じ印象を得たにちがいない。そう考えれば彼は、やはり唐変木である。

さて、怒りにまかせてさらに筆を進める。

つらつら思うに、ひょっとして米国民の多くは、未だに日本およびアジア諸国に対して、差別的優越感を持っているのではあるまいか。

さきの「クリントン唐変木説」はけっこう自信があるので断言をしたが、これはあくまで個人的仮説であるから、少々トーンを落とす。

私はかつて陸上自衛隊に在籍し、心身ともに厳しい教育を受けた。自衛隊では肉体の鍛錬とともに、服務規定や精神教育を徹底して行う。新隊員は一日に数時間、一般部隊においても週に数時間の座学時間を設けて、自衛官としての心構え、すなわち修身道徳を学ぶのである。たまに妙な宗教に走る不心得者もないではないが、その結果わが自衛隊員は総じて真面目である。総人員に対する犯罪率を考えても、ほとんど驚異的な真面目さであろうと思われる。なにしろ自衛官は、警察官よりも事件を起こすことが少いのである。

そもそも軍隊は、遠くナポレオン・クラウゼヴィッツの時代にその組織的完成を見ている。以後各国の軍隊は機能的な原型をほとんど変えることなく、むしろ兵器の開発と兵士の質的向上の点に於て進歩をとげてきたと言える。存在のよしあしはともあれ先進諸国の軍隊に、今や社会良識をわきまえぬ兵士はいないはずなのである。

少くとも自衛隊にはいない。徒党を組んで無差別に婦女子を拐《かどわか》し、暴行を加えて畑に捨ててくるような兵士は一人もいないと断言する。

本当は米軍にもいないはずなのである。自衛隊と同じ完成された軍人教育によって錬成され、しかもより大規模で、名誉も矜《ほこ》りも完全に与えられている合衆国軍人に、そんな不逞《ふてい》の輩《やから》がいるはずはないと思う。

だが現実に、彼らは犯罪をくり返している。

九一年の四月には二人の海兵隊員が沖縄県内の五ヵ所で連続強盗を働いた。

同年六月、沖縄市の公園で二人の兵士と一人の軍人家族が日本人を刺し殺した。

九二年一月には海軍の下士官が七十七歳のスナック店主を襲い、金を強奪した。

今年の五月には二十四歳の日本人女性が四人の海兵隊員に待ち伏せされ、うち一人にハンマーで殴り殺された。

その他、米軍人の横暴は露見しているものだけでも枚挙に暇《いとま》なく、今回の女児暴行事件も、実はその一つに過ぎないのである。

まさか彼らが、これと同じことを本国でやっているとは思えない。もしそんなことがあるのなら、軍紀そのものがアメリカの社会問題として日本にも伝わってくるはずである。だとすると、彼らは本国を離れた駐留先でのみ、事件をくり返していることになる。

私が、米国人の差別的優越感の存在を疑う理由はこれである。

信じたくないことではあるが、もし仮にそうした差別主義によって合衆国のリベラリズムなるものが形成されているとするなら、われわれは現在の世界観も、過去の歴史もすべて見直さなければならないことになる。

私が、クリントンを唐変木だと罵った理由は、すなわちこれである。

絶対に信じたくないことではあるが、もし仮に彼と彼の軍隊がアジアに対する差別主義をひそかに抱いており、その必然の結果として無辜《むこ》の日本国民が殺傷されたとするならば、彼らが広島や長崎に投下した原子爆弾にもそれなりの意味を見出さねばならないことになる。

五十年の時を経てこうした仮定を試みることは、一人の日本人としてほとんど恐怖を感ずる。しかし仮定が容易であるのにひきかえ、私には差別主義の存在についての論理的な否定が見出せない。だからこそ、こんな怖ろしい仮定を思いつかせたクリントンの薄ら笑いと軽薄なコメントを、唐変木だと罵るのである。

私はまさか今さら、世界を相手にして戦ったあの戦争が、人種差別をめぐる義戦であったなどとは思いたくない。ましてや義のための戦《いくさ》がたった二発の原子爆弾で敗れてしまったなどとは、考えたくもない。

米兵に凌辱された十二歳の少女は、後日いまわしい犯行現場の検証に立ち会った。そのとき彼女は、けなげにも捜査員に対し、こう言ったそうだ。

「私のような犠牲者を二度と出したくないから、きちんと訴えます」、と。

やはり彼女には、安保も地位協定も、米軍の隊員教育もくそもないのである。十二歳の少女は日本国民の矜りと人間の尊厳を賭けて、きっぱりとそう言ったのだ。

復帰以来、沖縄における米兵の刑法犯罪は四千五百件も発生し、うち殺人事件は十二件にのぼる。

仮説はさて置くとしても、在日米軍の六割の兵士を沖縄が一手に引き受けた結果がこれだ。少くともこの現実は、日本政府の沖縄県民に対する差別であろう。

事件は両国の政治的思惑を踏み越えて、国際連合に上程されるべきである。

どうかさきの少女の発言を、もういちど読み返して欲しい。

五十年目の戦場に立った少女は、決して白旗を掲げてはいない。

近親憎悪について

私には三つ年上の兄がいる。

東京の旧家の風習に従い、兄と私とは幼いころたいへん差別的に育てられたと記憶する。一家の総領として生れた兄はほとんど祖父母の手で養育され、母は乳を与える時間の他には抱くことすら許されなかったそうである。

「ソウリョウ」という言葉を、幼い私は畏敬すべき兄の別名だと思っていた。

それにひきかえ次男坊の私は、母の愛情を一身に享《う》けることができた。わかりやすく言えば、家は父と祖父母と兄とで構成される支配者階級と、母を頂点として私と使用人たちで構成される無産階級とでき上がっていた。

ひとつ屋根の下で、この二つのカーストは明らかに別々の生活をしていたのであった。

古写真などを見ると、幼い日の兄はポマードべっとりの七三に分け、ブレザーとネクタイでおすまししているのであるが、私はなぜか林家三平ふうのパーマをかけており、ルパシカなんぞを着せられている。

ほどなく朝鮮動乱の特需景気が終わると同時にわが家は没落し、使用人たちは去り、家屋敷は人手に渡って私たち兄弟はタダの少年になってしまうのであるが、私と兄との間には幼時に培《つちか》われた関係がその後も長く残った。私は四十三歳となった今も、兄の前ではひどく緊張してしまい、常に敬語を用い、外でメシを食うにしても兄が先に箸《はし》をつけなければ物を口に入れられない。

もっとも、成長の過程においても、私はずっと兄にコンプレックスを抱き続けてきた。家は没落したのだけれど、兄は総領の矜《ほこ》りを決して捨てることなく、謹厳実直、品行方正、あたかもストイックな儒者のごとき人生を送ってきた。ゆえにその間、放蕩《ほうとう》の限りを尽くしてきた私は、なおさら頭が上がらんのである。

たとえて言うなら、旗本の跡とりに生れた兄が昌平黌《しょうへいこう》に通って学問を修め、お玉ヶ池の千葉道場で撃剣の稽古に励んでいたころ、部屋住みの弟は派手な身なりで吉原に通ったり、大川端で辻斬りを働いたりしていたのであった。で、ともに明治の御一新を体験したのち、兄はみごとお家を再興し、弟は紆余曲折《うよきょくせつ》を経てなんとか市井《しせい》の物書きになった、というわけである。

こうした経緯もあって、兄と私とはもともと兄弟でこうもちがうかというぐらい異質であった。顔形、体型、趣味、性格、どれをとっても相似点など何ひとつとしてなかった。要するに幼いころのポマード・ネクタイの兄と、パーマ・ルパシカの弟は、ほとんどそのままパラレルに成長して行ったのである。

たとえば同じ二十歳の肖像を見ると、早稲田の勤労学生であった兄は牛乳ビンの底のようなメガネをかけて小むずかしい顔をしており、自衛隊員であった私の顔はひたすら暴力的でインテリジェンスのかけらすらない。

さらに数年後、兄は大学を出て税務事務所に勤め、私は度胸千両の業界人になってしまったので、このへだたりはいっそう顕著になった。私がたまに兄の事務所に遊びに行くと、兄の同僚たちはみな殴りこみかと思って怖れおののき、弟だと名乗っても誰も信じてはくれないのであった。同様の理由から、兄が私の事務所に遊びにくると、私の同僚たちはみな家宅捜索かと思って怖れおののき、兄だと名乗っても誰も信じようとはしないのであった。ために当時、私たち兄弟はたがいの事務所を訪れるときは必ず事前に連絡をしようと誓い合ったほどであった。

さて、そうこうするうちにも兄は勤勉である分だけ暮らし向きも豊かになり、それに応じて肥満し、頭もハゲた。私は放蕩の分だけ苦労をし、人相も悪くなったので、兄弟の相似点はいよいよなくなってしまった。同じ腹を痛めた子供であるのに、何でこうも違うのかと、母は会うたびに嘆いた。

しかし、血というものは怖ろしい。三十の声を聞いたころから突然と私の頭髪が薄くなり始め、それに連動して肥り始め、あまつさえナゼか近眼になり、ある日フト気が付くと、私と兄はウリふたつの容貌になってしまっていたのである。

お互いに多忙で疎遠になっており、久しぶりに親類の祝儀の席で顔を合わせたとたん、私たちはギョッと立ちすくんだものであった。

おまえ、なぜハゲた、と兄は私を責めた。にいさん、せめてヒゲを剃って下さいと私は懇願した。親類の年寄りたちは何が何だかわからなくなってパニクッた。おまけに私たちは太郎と次郎というまことにぞんざいな名前を持っていたので、何となくファンタジックな印象をもって周囲を沸かせたのであった。

後日、兄は執拗に電話をよこして、迷惑だからカツラをかぶれと私に迫った。当然、私は私自身のアイデンティティーを賭けて、それを言うならにいさん、あなたが先にかぶりなさいと要求をした。

そうこうするうちに兄弟は四十の峠を越え、年齢に応じてその相似たるや、ほとんど見分けがつかないほどになってしまった。しかし、住いも遠く離れ、稼業も全く無縁であるからことほどさように支障はなく、たまにメシを食いながらイヤな思いをする程度であった。

悲劇は今年の春に起こった。

初めて文学賞をいただいた私は、当然畏敬する兄を授賞式に招待した。嬉しくって、あとさきのことを考える余裕はなかった。

帝国ホテルの孔雀の間というたいそうな式場で受賞の言葉を述べているときに、ふと悪い予感がしたのである。満場の招待客の中に同一人物がいるではないか。しかもあろうことか近ごろでは趣味嗜好《しこう》までそっくりになってしまった兄は、私と同じような背広を着、同じ色のネクタイをしめ、違うところといえば胸に菊の花をつけていないことだけなのであった。

授賞式はやがて壮大なパーティとなる。そのさなかにも私は、兄の所在が気になってしかたがなかった。

ふと見ると、広い会場の一角に人だかりがある。案の定、大勢の人々が、私と兄とをまちがえている様子なのである。まずい。これはまずい。なぜまずいかというと、兄弟の唯一共通の性格といえば、極めて如才《じょさい》なく、来る者こばまず、調子をくれるのである。周囲の人だかりを見れば、兄がうりふたつの兄弟であると言う機会を失ってしまい、出版関係者や作家の方々と如才ない会話をしちまっているのは遠目にも明らかであった。

会場はただでさえ誰が誰だかわからんような混雑ぶりなのである。しかも時とともに人々は酩酊して行く。

この際、私が兄のところへ行って一緒にいれば問題はないのだが、そんなツーショットをまちがってグラビアにでも載せられたらたまったものではない。で、大混雑の中、家人を伝令にとばし、「おにいさん、いちいち言いわけも面倒でしょうから、ともかく仕事の返事だけはしないように」と、伝言をさせた。

余談ではあるが、後日別のパーティで出会った神田駿河台S社の編集者に、「お約束の十月号の原稿、よろしく」といきなり言われ、狼狽した。どう考えても、私には約束をした覚えがないのである。

さて、受賞パーティが終わって、お定まりの二次会となった。この際、悲惨な現実をせめて身近の編集者にだけは知っておいてもらおうと考え、兄も誘った。

かくて人々は、パーティ会場に二人の私が存在していたことを初めて知り、みな等しく驚愕したのであった。

実は、私たち兄弟には複雑な事情があって、私が十五の時から一緒に暮らしてはいない。そして兄は、実朝を愛し、太宰を愛する文学青年であった。大学は文学部であり、同人誌も主宰していた。私は兄を畏敬し、兄に反撥し、誰よりもまず兄に影響を受けて成長してきたのだと思う。

二次会がはねた後、人々は相変わらず兄弟の相似にあきれ返りながら、どやどやと銀座の路上に出た。

私が出がけにトイレに寄ったのはうかつであった。兄は言いわけをする間もなく、講談社のハイヤーに乗って帰ってしまったのであった。

流行について

過日、ひとりでお留守番をしていると、ふいに庭先の鈴懸《すずかけ》が立ち騒いで雨が降り始めた。よいこでいればトップスのチョコレートケーキ、もしくはユーハイムのフランクフルタークランツにありつけるお約束であったので、あわてて家中の窓を閉め、洗濯物を取りこんだ。

おおかたは乾いておったから、この際夏バテのたたりで収入も減っていることだしと思い、せめて罪ほろぼしのつもりで洗濯物をたたんだ。と、たいそう不恰好な、ヨレヨレの木綿の靴下が目に止まった。

白いハイソックスであるから、高校生の娘のものにはちがいない。それにしても、いかに父親が売れない小説家であるとはいえ、なにもこんなに伸びきるまで靴下をはくことはなかろうと、いじましさに胸が痛んだ。

よもやと思い、娘の部屋に忍びこんでタンスを探せば、はたして通学用の白靴下はどれもヨレヨレでノビノビのみじめな形であった。

私は明け方に眠り、夕方には書斎に籠《こも》っている。したがって娘の通学姿というものをついぞ知らない。さては口にこそ出さぬが、父親の苦労を慮《おもんぱか》ってかような形になるまで靴下をはきつぶしているのであろうと思えば、胸はさらに痛んだ。

そこで、とりあえずみじめな古靴下をゴミ箱に捨てて近所のスーパーに赴き、まっさらのソックスを一ダース買ってきた。吉永小百合とか和泉雅子がかつてはいていた、三つ折りにするとアキレス腱が花の茎のように剝き出る、純白の靴下である。タンスにそっと収《しま》うと、ほんの少し罪の濯《すす》がれた思いがした。

異変は夕方に起こった。娘は帰宅するや、突如として書斎に乱入し、原稿に向かう私の背中に跳び蹴りをくれたのである。

体育会系の娘はパンチが重い。近ごろでは万年筆より重いものを持つことのない父親の膂力ではとうてい抗《あらが》うこともできず、私は急所をかばいつつひたすら詫びた。たしかに、留守中の部屋に忍びこみ、勝手にタンスを開けたのは悪かった。

しかし冷静さを取り戻してことの次第を訊いてみると、娘の怒りはそういう理由ではなかった。まことに理解しかねることではあるが、私の捨ててしまったノビノビのハイソックスは、実は「ルーズソックス」という今節流行の品であるそうな。

にわかには信じ難い。女子高生の靴下は古今東西、三つ折りにすると花の茎のごとくアキレス腱の剝き出るものでなければならないはずだ。そのつつましやかなエロス、そのたおやかなる不可逆的処女性こそ、女子高生のアイデンティティーの原点だと私は信ずる。そてなことをよせばいいのに強弁すると、娘は呆れ顔で、たまには電車に乗って見てらっしゃい、と言う。

そこで翌日、さる文壇パーティに向かう道すがら、読書を放棄してひたすら女子高生の足元に気を配った。

なるほど、どの娘もノビノビのハイソックスを、ほとんどズッコケた感じではいている。まことに嘆かわしいことではあるが、これが流行であるらしい。

さらにしげしげと観察すると、彼女らはおしなべて危ういほどのミニスカートをはいており、薄化粧を施しており、前髪をゼンマイバネのごとく丸めているのであった。

アキレス腱の痛ましいぐらいに剝き出たソックスなんてどこにも見当らず、寝押しのきいた紺サージのスカートも、おさげ髪も、要するにかつて私たちが通学電車で胸をときめかせた女子高生の姿は、まるで死に絶えたように見当たらないのであった。

彼女らの姿を見ているうちに、何だかとても悲しい気持ちになった。

服装の流行は必ずある周期をもって循環する。しかし、こと女子高生のファッションに限っては、まさに流れ去る水のごとくいったん喪《うしな》われてしまったものは還ってくることがないであろう。

もちろん、数ある女子校の中には厳正なる校則のもとに、旧態依然たるセーラー服や三つ折りソックスを守っている学校もあるであろうが、このご時世ではそれもたぶん、伝統的というより反動的であると見做《みな》されているのではあるまいか。

足元に並ぶルーズソックスを眺めながらふと、分厚い学生鞄を膝に抱き取ってあげた初恋の人のおもかげが瞼をよぎった。

今ではその学生鞄すらも見当らず、彼女らはてんでなショルダーバッグとかリュックサックを背負っているのである。

隣の席が空いて、ひとりが座った。あろうことか耳たぶにピアスをしている。ハッと気付いて吊革に並ぶ友人たちを見れば、どれも同様に耳に穴をあけ、輪っかや宝石をチャラチャラと飾っているではないか。

私は尖端《せんたん》恐怖症なのである。注射をするぐらいなら死んだ方がマシであり、将来も腹を切ることだけは誓ってありえない。当然、ピアスは見ただけで鳥肌が立つ。

それに加え、極めて反動的な小説家である。そもそも身体髪膚《しんたいはっぷ》はことごとく父母から授かったものであり、これを毀傷《きしょう》することは不孝であると固く信じている。

「君たち、靴下がたるんでいるようだが……」

思わず口を滑らせてしまった。べつに説教をタレるつもりはないのだけれど、唇が別の生き物のようにそう呟《つぶや》いたのである。齢のせいか近ごろこういうことがままある。

「いや、わかってますよ。そういうのが今のはやりだということぐらいはね。でも、おじさんが思うのに、やっぱり靴下は三つ折りの方が……」

少女たちの冷ややかな視線が、まるで獣か変質者でも見るように注がれた。そしていっせいに、ころころと笑うのであった。

私はひどく荒寥《こうりょう》とした気分になり、笑い声に追われるようにして用もない駅で電車を降りた。

日ごろ余り外に出ることがない。たまに街を歩いても、考えごとをしながら歩く癖がついているので、風俗に気を配ることがなかった。こういうことではいかんと自らをたしなめ、しばらくの間行きかう人々を注視しながら歩いた。

あらたまって若者たちを観察すれば、なるほど面妖な風俗が流行していることに気付く。

タバコを喫いながら歩いている女が大勢いる。オヤジのくわえタバコはめったにいないのに、うら若き娘がプカプカと煙を吐きながら濶歩《かっぽ》しているのである。

やたらとリュックサックが目につく。どの娘もまるで引揚者か難民のように、リュックサックを背負って歩いているのである。

魔女のようにゾロリと長いワンピースを着、背中にはリュックサックを背負い、右手にはタバコを、左手には携帯電話機を提げて街なかを歩くというのが、どうやら今節流行の風俗であるらしいのだ。

許せん、と私は思った。

そういう恰好が悪いとか、不謹慎だとかは言わない。しかし、女性とは神々の造りたもうたこの世で最も美しい生き物であると信ずる私にとって、くわえタバコとかリュックサックとか、携帯電話機とかは、まったく許し難いのであった。

その夜、私は娘の部屋を訪れ、こんこんと説諭をした。

ルーズソックスなるものは、まあ百歩ゆずって許すとしよう。だが、ピアスは絶対に許さん。リュックサックも携帯電話も、女性としての美観を損うことにまちがいはないから、これも許さん。そもそもファッションの語源はラテン語の factiō なのであって、流行のファッションに盲目的な追従をすることとは、軍国主義的没個性に他ならないのである。人間の美的尊厳は、唯一オリジナリティによってのみ保障されるのである、と。

娘に抗弁はなかった。私に似てけっこう思慮深いところのある彼女は、長いこと父の説諭について考えるふうをした。

そして突然、何を思いついたものか喧《けたた》ましく笑った。

「じゃあパパ、まずカツラをかぶって、ダイエットして、コンタクト入れてよ」

わかってくれ。これは流行ではないのだよ。

脂肪肝について

よいこでお留守番をしていたので、トップスのチョコレートケーキにありついた。

下戸である私は甘いものに目がない。美食家ではあるが健啖家《けんたんか》ではないので、外食のままならぬ多忙な昨今では、そのエネルギー源のほとんどを糖分から摂取している。

ちなみに昨日の食事メニューによると、朝食がトップスのチョコレートケーキを一回分定量、すなわち一本の半分。昼食がミスタードーナツ四個プラスおはぎ、プラス豆大福二個。夕食は少量の米飯ののちに、ユーハイムのフランクフルタークランツを一回分定量、すなわち一個の四分の一カット、プラス小布施堂《おぶせどう》の栗羊羹《くりようかん》を一缶。湯上りにアイスクリーム、夜食に虎屋の「夜の梅」と神田エスワイルのショートケーキを食った。

もちろんその間、一杯につき約九グラムの砂糖を加えたブルーマウンテンを、十杯以上は飲む。

実は子供のころからこうした食習慣を身につけてしまっているので、さして特殊なメニューであるとは思っていなかった。誰でもふつう、こんなふうに甘いものを食っているのであろうと、何の疑いもなく信じていたのである。

それでも四十を過ぎるまで格別の変調もなく、たいして肥えもせずにきたのは、自衛隊以来の体育会的生活のたまものであろう。

朝晩腹筋背筋を各百回、屈《かが》み跳躍五十回、自衛隊名物「体力向上運動」をワンセット、早朝の走りこみとインターバル十本。日常生活においても私は長いこと、「新宿―銀座間は歩くものだ」と思いこんでいた。

つまり、知らず知らずのうちにこうした運動によって過剰に摂取した糖質を燃焼させていたのである。

問題は、「知らず知らずのうちに」生命体のバランスを維持していたところにある。すなわち、本が少しずつ売れ始め、週刊誌に連載エッセイを書くようになって、必然的に運動量が減ると、もともと摂取カロリーなんて全然気にしていなかったものだから、体重は飛躍的に増大した。

同時に悪循環が始まった。体重が増えれば運動そのものが面倒になる。新宿―銀座間も歩くより地下鉄に乗った方が早いのだと、遅まきながら気付いた（余談ではあるがその結果、『地下鉄《メトロ》に乗って』という小説を書き、文学賞を貰った）。しかも、運動量の減った分だけストレスが溜まるので、酒の飲めない私は以前にも増して甘いものを食い始めたのであった。

そうこうするうち昨年の夏、突如として異常なる痒《かゆ》みに襲われた。体中のあちこちに湿疹《しっしん》が発生し、女もうらやむ玲瓏《れいろう》たるお肌が、たちまちにしてボコボコになってしまったのであった。

もともと私は、体育会系→自衛隊→度胸千両的業界→小説家、という稀有《けう》の人生を歩んできたために、痛えことと苦しいことにはめっぽう強いのである。だがしかし、痒さには耐えられなかった。

で、心臓病のおふくろがかかりつけの医者を訪れ、診察を乞うた。

医者は嫌いである。診察室に座っているだけで脂汗がにじみ、血圧がみるみる低下するほどの医者嫌いなのである。もし注射をすると言われたら、どうやって脱走するかと、待合室ではそればかりを考えていた。

私の体をひとめ見たなり、「ああこりゃひどいね」と、医者は言った。「えーと、塗り薬を下さい。塗り薬です」と、私は勝手な要求をした。

注射はしないと固い約束をしたにも拘《かかわ》らず、医者は採血をした。「はあい、力ぬいてえ。注射じゃないからねえ、血を採るだけだからねえ」と言いながら、彼は私の腕に針を打ったのであった。

泣く泣く帰ったその数日後、血液検査の結果が出た。コレステロールと中性脂肪の数値が異常に高く、脂肪肝の疑いがあるという。生来おのれの肉体の頑健さを信じている私にとって、この診断は衝撃的であった。詐欺の疑いとか、暴行傷害の疑いはかけられたことがあるが、脂肪肝の疑いとはまさしく青天の霹靂《へきれき》である。

うまい抗弁も思いつかず、弁護士を呼ぶわけにもいかないので、とりあえず黙秘権を行使するほかはなかった。すると医者は屈強な看護婦に命じて、私を薄暗い別室に連行せしめた。何だか拷問にかけられそうな気がして観念すると、医者はやおら私の腹部に、多少の快感を伴う液体を塗り始めた。超音波検査をするのだと言う。

まさか痛いんじゃないでしょうね、と訊くと、絶対に痛くはないと言うので、ちょっとでも痛かったら殴るぞという条件付きで検査を開始した。

小さな機械がベトベトになった私の腹の上を滑り、モニターに肝臓の姿が浮き出た。

「ね、まっしろでしょ。これみんなアブラです。立派な脂肪肝ですよ」

検事から決定的な物証を提示されたように、私は押し黙った。

「とりあえずお酒はやめなさい。食事は脂っこいものは控えて、量も減らすこと。いいですね。体重を五キロ落としてからもういっぺん検査してみましょう」

私はホッと胸を撫で下ろした。どうやら命にかかわるというほどの事態ではないらしい。やめるも何も酒ははなから飲まないし、近ごろ胸ヤケがするので脂っこいものは控えている。しかも自他ともに認める一流サウニストであり、一日の入浴で三キロやそこいらは落とす自信がある。その気になれば五キロのダイエットなんて、今日の明日にもやってみせる。

「ハッハッ、なあんだ。そんなことでいいんですか。楽勝、楽勝！」

私は急に明るくなって、病院を後にした。

ところで、よく人に言われることなのであるが、私は一見して大酒飲みに見えるんだそうである。そういう人相というものが果たしてあるのかどうかは大いに疑問であるが、ともかくつきあいの浅い出版社は、必ずといって良いほど、盆暮にはウイスキーやブランデーを贈ってくる。

私にとってたいそう不幸であったことは、診断を下した医者も私の人相に対して同様の印象を抱き、まさかこの顔でトップスのチョコレートケーキやユーハイムのフランクフルタークランツを、朝に晩にむさぼり食っていようとは考えてもいなかったのである。

こうして無知な私は、メシを減らした分だけ甘味を増やし、そのうえ毎日サウナに通って五キロの減量をするという、医学的にいえばたぶん最悪の療法を試みたのであった。

ほぼ一月の後、体重こそ減ったが気持の悪さも肌の湿疹もいっこうに治まらぬまま、再検査と相成った。

当然のことながら、中性脂肪の数値はさらにはね上がっていた。データを見ながら医者は、「おっかしいねえ……」と、私を睨みつけた。「本当にお酒をやめましたか？　ごはんは減らしましたか？」

「はい。お酒はタダの一滴も飲んではいません。メシもかつて使用していた茶碗は犬にくれてやり、子供用のミッキーマウスの柄の茶碗で一膳、と決めています。天プラ、トンカツ、ステーキ、その他脂っこい食い物はいっさい口にしてはいません」

「ほんとに?」

「はい。決してウソではありません。何なら私の作家生命を賭けてもよい」

そのとき、診察室に看護婦が入ってきて、言わでものことを言った。

「先生、浅田さんからこれ、いただきました」

それは、私が日ごろのご愛顧に報いるために持参した、トップスのチョコレートケーキであった。「やあ、こりゃどうも」と言ったなり、医者の笑顔はハッと凍えついた。

「……あなた、コレ、好きですか」

「ハ? ……ハイ。好きですけど……何か」

こうして私の病因は明らかになった。

しかし、誰が何と言おうと甘いものはやめない。甘味を断ってまで長生きをする気はさらさらない。

どうか皆様の周辺に名産の甘味があれば、編集部あてにご一報下されたいと切に思う次第である。

コレステロールについて

先週の脂肪肝に続きコレステロールとくれば、何だか本誌の人気コーナー「名医の健康パドック」と間違われそうであるが、どうか併《あわ》せてお読みいただきたい。要するにこちらは、医者の前では言うに言われぬ患者の愚痴である。

脂肪肝の宣告を受けたと同時に、私は医者からコレステロール値についても指摘された。何でも「悪玉」の数値が高く、「善玉」が少いので注意を要する、というわけだ。

悪人である私は、一瞬正体をあばかれたような気分になったが、どうやらこれは物のたとえで、性格とかいまわしい過去とかとは余り関係がないらしい。

食事療法が必要だということで、コレステロールを多く含む食品のパンフレットを渡された。帰途、ハラが減ったのでミスタードーナツに立ち寄り、フレンチクルーラー、ハニーディップ、アップルパイ等を食いながらそれを読み、愕然《がくぜん》とした。

コレステロールを多く含む食品、すなわち私にとって毒となるらしい食い物が、まったく絵に描いたように私の大好物ばかりだったのである。

タマゴ、イクラ、タラコ、イカ、タコ、貝類、エビ、カニ。どう読み返しても私の好物を順番に並べてあるとしか思えなかった。目玉焼き二個は毎朝食のメニューであり、イクラとタラコは食膳に欠かすことのできぬ常食であり、パーティの席では狙い定めてキャビアばかりを食うことにしている。おまけにその前日には良く知らない出版社から電話があったので、とりあえずメシでも食いましょうと言い、「かに道楽」のフルコースを食い散らかしたばかりであった。

そんなわけであるから、高コレステロールの食品を食うなということは、私にとってほとんど個体の生存権にかかわるのである。

とりわけ気になった点はタマゴである。卵黄は100グラム中1300ミリグラムという抜群のコレステロール値を示しており、まさにコレステロールのかたまりであるらしい。黄身を食わずに白身だけ食えば問題がない、とか但し書きがつけてあったが、どう考えたってタマゴのタマゴたる所以《ゆえん》は黄身に存在するのであって、黄身は食わずに白身だけ食えなどということは、たとえて言うならキスだけしてセックスはするなというようなもの、いや、もっと切実だ。たとえば便意を催したとき、屁だけこいてクソをするなというようなものであろう。

タマゴが好きなのである。裸の女が胸に半熟ウデタマゴを抱いて、さあどっちになさいますかと訊いたなら、迷わずタマゴを手にするぐらい、タマゴが好きなのである。すなわち、これを禁ぜられるということは、生涯セックスをするなと命ぜられるに等しい。

本誌読者の平均的な年齢を察するに、同感の方はさぞ多いことと思う（平均年齢なぞ知らないが、膨大な発行部数と巻末ヌードグラビアの趣味《センス》を照合してみると、主力はたぶん私と同世代ではなかろうかと推察する）。

つまり、昭和二十年代、三十年代の幼少年期において、タマゴはたいそう貴重なタンパク源であり、まことに高価な食品であった。好き嫌いを言う以前に、われらは等しい幼時体験により、タマゴを信仰している。

風邪をひくと滋養になるからといって生タマゴを呑まされた。朝食に生タマゴが供されるのは大変なごちそうであり、商店街にはモミガラの上にうやうやしくタマゴを並べた「タマゴ屋」すらあったのである。

そんなわけであるから、若い読者には理解できないであろうが、われらはみな心の中にタマゴに対する深い信仰心を抱いており、毎日タマゴさえ食っていれば健康でいられると信じ、どんなに貧乏をしてもそれを食うだけで何となく優雅な気分になるのである。

ブロイラー業者の企業努力により、今日タマゴはしこたま食えるようになった。三十数年間も値上がりしていない物といえば、まずこれだけであろう。まさに奇蹟である。

幼いころ「死ぬほどウデタマゴを食ってみたい」と望んでいたわれらにとって、今さらタマゴが毒であると言われるのは、それこそ死ぬほど辛い。ところがパンフレットの数値を計算してみると、そのずば抜けたコレステロール値は早い話、「他のものはともかく、タマゴだけは絶対ダメ」と書いてあるに等しいのであった。

その夜、私は懊悩《おうのう》の末タマゴと訣別《けつべつ》した。物語に倦《う》んじ果てた真夜中、ひそかに台所に立って手鍋に清浄なミネラル・ウォーターを張り、生涯最後の一個になるかもしれぬタマゴを、ことことと茹《ゆ》でた。美しい球体の湯に躍る姿を見ていると、それを奪い合って兄弟ゲンカをした幼い日々が甦《よみがえ》った。

殻に箸の先で穴をあけ、熱にうかされる私の口元に「さ、栄養つけなきゃね」と添えてくれた、母の白い手。タマゴは母の手よりも白く、眩《まぶ》ゆかった。

タマゴ屋におつかいに行った帰り、古新聞にくるまれた包みごと落としてしまった。とり返しのつかない過ちに泣きながら、ジャンパーの腹に割れたタマゴを抱いて家に帰った。あのとき台所のあがりかまちで、ごめんなさいごめんなさいといつまでも泣いていたのは、たぶんタマゴに対して詫びていたのだろう。

自衛隊の演習のとき、包囲された孤塁に茹でタマゴが届けられた。糧食班の英雄がそれだけを背嚢《はいのう》に詰めて、包囲網をすり抜けてきたのだった。膝まで水につかった塹壕《ざんごう》の中で食ったタマゴは、ふしぎなくらい甘かった。

——私は思わず湯の中に躍る彼女に語りかけた。

「……おまえがそんなやつだったとは知らなかったよ」

（そんなやつ、って？）

「おまえと付き合っていると、いつか血管がボロボロになって、心筋梗塞《しんきんこうそく》か脳卒中で死んじまうんだそうだ」

（あたしのせいばかりじゃないわ。カニだってイカだって、タラコだって……）

「言いわけはするな。他のやつらなんてたいしたことないんだ。おまえが一番悪いんだ」

茹で上がったタマゴを冷水にひたす。シャワー・ルームから出てきた彼女はことさら美しく、艶やかだ。

「もうこれきりにしよう。おまえが嫌いになったわけじゃない。俺にはまだやらなきゃならないことが沢山ある」

（別れる、っていうのね）

「仕方あるまい。悪いのはおまえの方だ」

（勝手なこと言わないで。あたしに入れあげたのは、あなたの方じゃないの）

乱暴に服を脱がせ、薄い下着をはぎ取る。純白の温かな肌を、私は唇の先で味わった。

（……アン……じらさないで……ねえ、あたしのせいじゃないわよ。他の人は何ともないものの。あなたは見境いがないのよ。一日に何度も、ガツガツするから……ア、アン……）

「そうか？　数の問題なのか」

（そうよ、一日ひとつ、って決めればいいのよ。もう若くはないんだし、それで十分でしょう）

「ガマンできるかな……さあ、いくよ」

（ちゃんとつけて。シオ、シオ）

「あ、そうだった。ちゃんとつけなきゃ」

（……アン。ねえ、わかってよ。悪いのはあたしじゃない、あなただってこと）

「わかった。わかったって」

（だめ、ちゃんと約束して。しばらくは会わない方がいいけど、ほとぼりがさめたら、一日ひとつ。いい？）

「うん、約束する。さ、行くよ」

（きて、早くきて！）

私は台所に立ったまま、ホクホクのタマゴを頬張った。

人の気配にハッと振り返ると、娘が疑わしげに睨みつけていた。

「アッ、こっそりタマゴ食べてる。いーけないんだ。お医者さんに言われてるのに」

現在、総コレステロール値２８０。善玉《HDL》コレステロール値25。

再会の日は遠い。

宴《うたげ》について

原稿用紙三千枚分のゲラがいっぺんに上がってきてしまい、パニックに陥っている。内訳は千八百枚の書き下ろしと千二百枚のリメイク（ノベルズ版三巻をハードカバー一巻に合本するというふしぎな企画）である。

「ゲラ」というのはつまり、原稿を活字に組み上げた段階の校正刷である。これを再読し、推敲《すいこう》する作業はいわば嫁に行く娘にてて親が自ら化粧を施してやるわけであるから、当然たいそうな緊張を伴う。

しかも、この段階になると書物の発行日もほぼ確定されているので、締切に「マッタ」は許されない。もしや「ゲラ」の語源は「Get up《ゲラップ》」ではないかなどと思えば、いよいよ出版社に叱咤されているような気分にもなる。

折しも週刊A芸能誌の連載小説がスタートし、本稿もお蔭様で続投となり、書き下ろしの仕事は少くとも二十一世紀までは満杯である。要するに手カセ足カセ猿グツワで唸っている膝の上に、ドサリと三千枚のゲラを抱かされたのであった。

校正の締切は十一月二十日と二十五日ということで、まこと時間がない。スケジュール表に目をやればその間、「ババアの誕生日」「娘のPTA個人面談」「車不調につきディーラーへ殴りこみ」「おとしの滞納保険料、市役所で泣き」「増刷督促」「菊花賞勝負」等々、個人的な日程も目白押しである。

というわけで、いったい何からどう手をつけてよいやらわからなくなってしまい、とりあえずパーティにでも行くべえと腰を上げた。

出版社の主催にかかる、いわゆる文壇パーティというやつは、月平均三回ぐらい、つまりほとんど際限なく挙行されている。参加するしないは全く作家の自由意志にゆだねられており、ということは、パーティ好きな人は毎回参加、嫌いな人は一度も行かないという結果になるのだけれど、私の場合パーティといえばすなわち「義理ごと」という認識が脱けきらないので、たいてい万難を排して出席している。巷間まことしやかに流布される噂によれば、「パーティ好きの作家は出世しない」そうであるが、幸い私は、噂・伝説・統計・ジンクスの類いを徹底的に信じないタイプである。

さて、件《くだん》のパーティは、K書店の創立五十周年と新社屋披露を兼ねたものであった。出版社の社屋内で行われるパーティは極めて稀《まれ》であるが、他社の編集者が参加しない分、私のようなあちこちに言いわけをせねばならぬ作家にとっては都合がよい。よおし、今日はしこたま飲み食いをしてやろうと会場に入ったとたん、ギクリと思いついた。去る六月に締切予定であった書き下ろし原稿は、たしかK書店の注文ではなかったっけ。

なるたけ人目につかぬよう会場の隅っこでガツガツ飲み食いをしていると、はたして担当編集者が「ここで会ったが百年目」という感じで近寄ってきた。ごめんなさいと言えるのなら気は楽なのであるが、たとえどれほど己れに非があろうと安易に頭を下げてはならないのが作家である（ちなみにこの点は極道も同じ。黒いカラスも白いと言い張る根性がなければ、どちらもともに務まらないのだ）。

で、とっさに急な腹痛とか記憶喪失とかいう手も考えたが、余りに姑息《こそく》であると思い直し、笑ってごまかすことにした。

そうこうするうち宴もたけなわとなり、見知った作家たちが周囲に集《つど》ってきた。まずはひと安心である。

いつもふしぎに思うのであるが、パーティ会場における作家の皆さんは、自然とジャンル別に集合する。純文学の方はお堅い同士、ミステリーはミステリー、ハードボイルドはハードボイルドで集まり、歓談する。

かくて私は孤立するのである。ミステリーでもハードボイルドでも、もちろん純文学でもない私は、行き場がない。出版社が悪意をもって分類したとしか思えぬ「悪漢小説《ピカレスク》作家」という私の肩書きは、同類とおぼしき作家もそうはおらず、またふつうの作家の方々からは妙に警戒される。

ところがこの日は、数少いピカレスクの雄、昨年ブッちぎりの悪漢小説で流星のごとくデビューしたS川さんがいらしていた。人ごみの中でたがいの姿を発見したとたん、私たちはまるで刑務所でバッタリ出会った兄弟分のごとく、「オオッ!」と、非文化的な声を発したのであった。

「いやァ、S川さん。ごぶさたしとります」

「こりゃあ浅田の。その節はども。儲かってまっか」

「何とかシノいでますが、どうもこうもシメつけが厳しいやら何やらで、思うようにゃ」

「おたげえさまですよ。カッカッカッ!」

と、何となく腰を割る感じで挨拶を交わしていると、心なしか周囲の人垣が後ずさった。どうやらふつうの作家や脆弱《ぜいじゃく》な編集者たちから見ると、私たちは発行部数とはもっぱら関係なく、一種畏怖すべき存在であるらしい。

そこでようやく私たちは、ここが義理カケの席ではないということに気付き、言葉もなるたけ標準語に改めて語り合った。

まだ時間も早いことだし、久しぶりに銀座にでもくり出してバッと行こう、ということになった。私はからきしの下戸ではあるが、かねてより銀座を愛している。文壇広しといえどもデビューのはるか以前から銀座で蕩尽《とうじん》していた作家は、私とS川さんぐらいのものであろう。

フト見ると、目の前にK書店が今年開発した新兵器「パラサイト爆弾」のS名H明君が立っていた。折も折、銀座にくり出すに当たってこれを見逃す手はあるまい。何しろS名君は私の試算によると約六千万円の所得があり、S川さんの予想では手取り八千万円にのぼるという。ということは、五、六軒ひきずり回して百万ぐらい飲み倒してもよかろうと、私たちは意見の一致をみた。と、立ち聞きをしていたK書店の間諜が、とっさに顔色を変えてS名H明君をどこへともなく連れ去ってしまったのであった。

計画を看破された私とS川さんは、今度こそ警戒されぬように小声で囁き合いながら、K書店もうひとつの秘密兵器「らせん」のS木K司君の姿を追い求めた。しかしあいにく私もS川さんも、S木君の顔を知らず、訊ねてもナゼか誰も教えてはくれなかった。

さて、文壇に余りお友達のいない二人がいそいそと銀座にくり出すと、一軒目の店の椅子を温める間もなく週刊Pの編集者が飛んできた。S川さんはP誌に連載中であるが、私はもとよりお付き合いがない。

そこでこちらもすかさず週刊G（つまり本誌）の担当者を呼ぼうとしたが、考えてみればP誌とG誌は業界のライバルであるから同席はまずかろうと思い直し、本日のところはごちそうに与《あずか》ることとした。

S川さんはグイグイとボトルをあけ、私はウーロン茶を一升飲んで、場は盛り上がった。行く先々で先輩の諸先生方に地上げ屋の残党を見るような目で睨まれ、傍若無人の大騒ぎをしたあげく、私たちは小雨の降り始めた並木道で別れた。

家に帰れば、机上には三千枚のゲラが私を待っている。そう思ってゲンナリしたとたん、高層ビルに囲まれたマンションの窓辺でひっそりとワープロに向き合うS川さんの姿が思い泛《う》かんだ。

私たちの仕事は、よっぽどの先生になるまで自分のいる座標がわからない。いつまでたっても作家であると名乗るには気が引ける。名刺に書く肩書きもなく、役職ももちろんない。仕事の成果について罵倒してくれる上司もなく、はっきりと是非を言う取引先もいない。だからみんな、自己の所在を確認するためにパーティに出かけ、連帯を求めて銀座にくり出すのであろう。そしてひとときの宴のあと、誰もが同じように真夜中の書斎に戻り、文字の洪水に身を沈めて行く。

いろいろなことがあったけれど、四十を過ぎて何とか体を落ち着けたこの世界の他に、私たちの生きて行く道はない。車の窓ごしに見かわしたS川さんの目は、私にそう諭《さと》しているようであった。

粋に手を挙げてネオンの森に消えて行った作家の後ろ姿には、雨の銀座がふしぎなくらい良く似合った。

御《ご》高《こう》配《はい》について

昭和二十年六月六日夜、大本営の海軍次官あてに一通の電報が届いた。激戦の続く沖縄で孤立無援の小禄《おろく》地区（現在の那覇空港周辺）を守備する、海軍根拠地隊司令官・大田実《おおたみのる》少将からの緊急電である。以下、長文につき一部を抜粋する。

左ノ電文ヲ次官ニ御通報方取計《とりはからい》ヲ得度《えたし》
沖縄県民ノ実情ニ関シテハ県知事ヨリ報告セラルヘキモ　県ニハ既ニ通信力ナク　三二軍司令部又通信ノ余力ナシト認メラルニ付　本職県知事ノ依頼ヲ受ケタルニ非サレトモ　現状ヲ看過スルニ忍ヒス　之ニ代ツテ緊急御通知申シ上ク――

文面はいきなり、「沖縄県民ノ実情」から始まる。陸軍主力も行政府ももはや通信の機能を持たないであろうから、自分がかわって報告をする、というのである。以下、いわゆる「訣別電」の成句である勇ましい戦闘経過や将兵の敢闘ぶりについて、この電文は一行一句も触れない。ただ綿々と、沖縄県民が祖国の防衛に身を捧げ、家屋財産を失い、大変な辛酸をなめたと書きつづる。

──若キ婦人ハ率先軍ニ身ヲ捧ケ　看護婦烹飯婦ハモトヨリ　砲弾運ヒ　挺身斬込隊スラ申出ルモノアリ　所詮　敵来リナハ老人子供ハ殺サレルヘク　婦女子ハ後方ニ運ヒ去ラレテ毒牙ニ供セラルヘシトテ　親子生別レ　娘ヲ軍衛門ニ捨ツル親アリ　看護婦ニ至リテハ軍移動ニ際シ　衛生兵既ニ出発シ身寄リ無キ重傷者ヲ助ケテ──

男子は老人から少年まで軍とともに戦い、若い女性は斬込隊を志願し、看護婦となった女学生は軍が残置した重傷者を介抱した。しかもこうした県民の活躍と困難は米軍上陸のはるか以前、日本軍守備隊が進駐してから終始一貫して続けられてきたものである、と大田少将は述べる。依然として作戦経過や戦闘の美辞麗句は一言も記されない。

そして、本戦闘はすでに末期であり、沖縄は一木一草もない焦土と化してしまったと述べた後で、大田海軍少将は万感をこめて、電文をこうしめくくる。

——沖縄県民斯《か》ク戦ヘリ　県民ニ対シ後世特別ノ御高配ヲ賜ランコトヲ——

電文には「天皇陛下万歳」も、「皇国ノ弥栄《いやさか》ヲ祈ル」もない。自分が指揮官としてどういう作戦をとったのかも、陸に上った一万の部下たちが、どのようにして圧倒的な米軍を相手に戦ったのかも、全く記されてはいない。ただひたすら、沖縄の惨状と県民の労苦を述べ、軍はそれらを顧みる余裕がなかった、と悔いる。沖縄県民はこのように戦ったのだから、後世決しておろそかにはせず、格別の処遇をして欲しい——大田海軍少将はこの電報を玉砕の訣別電として、六月十三日、豊見城村《とみぐすくそん》の司令部壕で自決した。

陸軍の主力が牛島軍司令官の自決によって組織的戦闘を終えたのは、その六日後のことであった。

沖縄戦は本土決戦の時間を一刻でも引き延ばすための、いわば捨て石の戦《いくさ》であった。だから軍は、それまでの島嶼戦《とうしょせん》の定石であった水際での迎撃戦法を用いず、米軍を無血上陸させたのち縦深陣地での防御戦と狙撃や斬込みを主としたゲリラ戦に持ちこんだ。折からの雨期と重なり、彼我入り乱れた混戦となったこの戦は、戦略的な使命こそ十分に果たしたものの、すべての県民を巻きこんでしまったのである。

勝利の予定はなく、何日持ちこたえるかという戦であった。軍と県民とはこの絶望的な戦を九十日にわたって戦った。

この戦闘にあたって米軍は陸軍と海兵隊の最精鋭七個師団、十八万三千を投入し、後方支援部隊を含めればその総数は五十四万八千にのぼる。史上最大の作戦である。

これを迎え撃つ日本軍は、牛島満中将麾下《きか》の第三十二軍二個師団半、しかもその装備も練度もおよそ精強とは言いがたかった。援護といえば、九州と台湾から飛来する特攻機のみであった。

三ヵ月におよぶ戦闘の結果、十二万二千二百二十八名の沖縄県民と、六万五千九百八名の県外出身日本兵が死んだ。この数字は沖縄県援護課資料によるが、むろん正確ではあるまい。

米軍上陸前の空爆や疎開途上の艦船沈没による犠牲、餓死、戦病死等を合わせれば、県民の犠牲者は十五万人とも、二十万人ともいわれ、この数字は当時の県民人口の三分の一を上回る。

どうか読者の周囲を見渡していただきたい。家族の三人に一人、職場の人々の三人に一人が死んだのである。沖縄の戦闘とは、実にそういうものであった。

小禄の海軍根拠地隊司令官・大田実少将は、陣地構築に当たって荒らされて行くサトウキビ畑を歩き、「ご迷惑をおかけして申し訳ありません、緊急事態をどうかご理解下さい」と農民に詫び続けたという。そうして県民の実情を余すところなく見つめ続けた結果、彼は

「天皇陛下万歳」も「皇国ノ弥栄」も「神州ノ不滅」もない訣別の電報を、大本営に向けて打電したのである。

ところで、大田海軍少将が死に臨んでただひとつ国家に願った「特別ノ御高配」は、その後どうなったのであろうか。

「後世」とは、戦がすんで平和が来たら、というほどの謂《いい》である。少くとも、遅ればせながら本土復帰を果たし、海洋博のお祭り騒ぎを挙行することが「特別ノ御高配」ではあるまい。それどころか不平等条約の許《もと》に、夥《おびただ》しい異国の兵と涯てもない進駐基地を背負わされ、騒音に悩まされ暴行を受け続けてきたのである。本土の防波堤として斯く戦い、その三分の一を失った沖縄県民が、である。

五十年間、県民はこの不条理を耐え忍んだ。そしてひとりの少女の勇気によって、問題は提起されたのである。言うに尽くせぬ怒りを携えて上京した県知事を、首相と閣僚はまるで腫《は》れ物にさわるような微笑をもって迎えた。何ら合理的な回答も与えはしなかった。むしろ、黙殺に近い。

村山首相はおそらく、軍人としてあの戦を戦った最後の総理大臣となるであろう。もしかしたら彼は、何はさておきこの問題を解決するために政権を執《と》ったのではないかと私は思う。それが天命であると思う。

五十年前の沖縄で二十万人の人が死ななければ、かわりに二十万人の誰かが死んだのだという明らかな予測を、われわれは肝に銘じなければならない。だからわれわれは人間たる信義において、沖縄県民の納得する回答を用意しなければならないと思う。その結果どのような国際的摩擦が生じようと、経済的な打撃を蒙《こうむ》ろうと、われわれは甘んじて受けねばならない。

日本国民の多くが、このたびの事件をまるで他国の災厄のように感ずるのは、半世紀の施政者が沖縄県民の正当な怒りをことごとく黙殺し続けてきた結果である。沖縄戦を外地の戦と認識し続けてきた結果なのである。

大田海軍少将が沖縄県民の敢闘ぶりだけを打電して小禄の洞窟に命を断ったそのころ、摩《ま》文仁《ぶに》の海岸を満身創痍《そうい》で彷徨《さまよ》うひとりの少年がいた。奇《く》しくも少将と同じ姓を持つ鉄血勤皇隊員である。

ただひとり生き残った少年は、友人たちの血で染まった海に、あてもなく泳ぎ出した。彼は後にこう述懐する。

「何時間かたって目ざめると、なぎさに打ち上げられていた。『お母さん』と呼んだら涙が流れた。涙がほほを伝って口に入った。そのしょっぱさを噛みしめながら、岩の上に指で『敗戦』と書いた」、と。

五十年ののち、沖縄県知事となって国家の不実に立ち向かうことになった大田昌秀氏は、公人としての立場上こうした体験はもう語るまい。だがわれわれは、その穏やかな怒りに鎧《よろ》われた言いつくせぬ真実を、すべて知らねばならない。
摩文仁の海に血も涙も流しつくしてしまった少年の体には、鉄の血が流れている。
沖縄県民は斯く戦い、そして五十年間、斯く戦ってきたのである。

鉄血について

先週に引き続き、沖縄について書こうと思う。

現在の沖縄をめぐる諸問題について、まず「沖縄戦」から語ろうとする私は、むしろ反動的であろう。昭和二十六年生まれという年齢からしても、物語を捏造《ねつぞう》する小説家という職業からしても、また自衛隊出身者という履歴からしても、沖縄戦を語る資格はないかもしれない。そうした譏《そし》りを承知の上で、あえて再び書かせていただく。

私と沖縄との出会いは、昭和四十六年の春、十九歳のときであった。不良文学少年であった私はその年、なかば食いつめ、なかば三島事件の惑乱のうちに、陸上自衛隊に志願したのであった。

後期教育隊の隣のベッドに、Yという沖縄県出身の隊員がいた。無口で偏屈で、そのくせ妙に理屈っぽい男であった。年齢は私よりいくつか上であったと思う。

物理的にも精神的にも極めて閉塞的な男の世界では、当然のごとくこうしたタイプは嫌われる。もっとも、小説家になる予定のまま自衛隊に入った私は、おそらく彼に輪をかけた偏屈者であったはずであるが。

彼がどういう経緯で入隊したのかは知らない。高度成長まっただなかの、しかも学生運動もベトナム戦争もたけなわのあのころ、自衛隊に入隊するなどとはほとんど狂気の沙汰であり、したがっておたがいの「事情」を詮索することは一種のタブーであった。

「沖縄を独立国家にする」と、Yは言っていた。なぜかと訊ねると、「君にはわからん」と答えた。市ヶ谷駐屯地の西のはずれにある隊舎の非常階段で、ただれ落ちる夕日を見つめながら、Yは言葉のかわりにハモニカを吹いた。

やがて私たちは同じ連隊に配属されたが、生活の単位である中隊は別であったので、自然と交誼《こうぎ》は絶えた。

いちど外出先でバッタリと出会い、喫茶店に入ったことがある。神保町の古本屋街で、しかも戦史書専門の書店の棚の前で出くわしたのである。貴重な外出時間を費すにはたいそう場違いであったから、何となくおたがいの正体を見てしまったような、ふしぎな気分であった。

いまふと書斎を見渡して、そのとき買った本は何であったかと考えた。コーヒーを飲みながらおたがいが購入した書物を見せ合い、内容を論じ合った記憶がある。だとすると沖縄戦に関する私の蔵書のうちの最も古いものであろうから、防衛庁戦史室の編纂になる戦史叢書か、八原博通著の『沖縄決戦』、もしくは大田昌秀現知事の著書のうちの何かであったろうと思う。

いずれにしろはっきりと記憶に残るのは、私が沖縄戦に興味を持っていると知ったYの、熱っぽい表情と弁舌である。彼は私が同志であるかのように語り、私はそういうつもりではないと抗《あらが》い、しまいには論争になって別れた。内容は記憶にないが、たぶん彼は相当に過激な主張をし、私はそれを忌避したのだと思う。

Yはその後ほどなく、外部の反戦活動家と結びつき、防衛庁の正門前で制服姿のまま抗議文を読み上げて懲戒免職となった。以後の消息は知らない。

事件の後、私も連隊の情報幹部に呼び出されて訊問を受けたが、教育隊で語り合ったことや神保町の喫茶店で論じ合ったことについては、何も口にしなかった。関りを避けたわけではない。彼の純粋な人となりを知る私にとって、Yが自衛隊からあしざまに言われるほど罪深い人間であったとは、どうしても思えなかったからである。

ウェスト・ポイントに留学していたというエリートの情報将校は部隊の名物で、いつもこれ見よがしのグリーン・ベレーをかぶり、レイバンのサングラスをかけていた。こんなやつにYが罵られるいわれはないと思った。

訊問の途中で「反戦自衛官」という言葉がさかんに彼の口から出たので、「Yは反戦自衛官ですが、それを言うなら自分も反戦自衛官です。自衛官は全員反戦自衛官ではないのですか」、と言ってやった。以来私は、この幹部にだけはどこですれちがってもことごとく欠礼をした。もし咎《とが》められたらたちどころに言い返してやろうと考えていたが、幸か不幸かその機会はなかった。安保の是非は別としても、私は自衛官の名誉と日本男児の矜《ほこ》りにかけて、グリーン・ベレーに敬礼をする理由を持たなかった。

私事はさておき、あれから四半世紀の時を経て、再び古い沖縄戦の資料を繙《ひもと》くことになった。新たに問題が提起されるまで、なぜ忘れていたのだろうと反省しきりである。

昭和五十七年那覇新聞社発行の『沖縄戦』と題する記録集の中に、一葉の写真がある。それを見たとたん、私は他の資料を読み進む勇気を失った。

草木一本すらない乾いた瓦礫の上に、一人の少女が仰向けに死んでいる。ライフルを持った米兵が少女の雑嚢《ざつのう》の中から手榴弾を取り出しながら、悲しげに死顔を見つめている。

解説には従軍看護婦とあるが、その屍《しかばね》は私たちが映画で見たひめゆりの少女たちの姿とは余りにかけ離れている。少女が身にまとっているものは白いブラウスでも絣《かすり》のモンペでもなく、ダブダブの軍服なのである。上半身は真黒な血に染《そ》んでおり、大地に投げ出された小さな足には、やはりブカブカの軍靴をはいている。鉄帽がかたわらにはじけ飛んでおり、胸のポケットからは四発の小銃弾がのぞいている。雑嚢の血だらけの蓋に「照」という字が読み取れる。「照子」もしくは「照代」という少女の名前であろうか。あるいは「照屋」などという、沖縄にはよくある苗字《みょうじ》かもしれない。

鼻腔《びこう》から血を流して事切れている少女の顔は白い。瞳はうつろに、戦場となったふるさとの空に向けられている。彼女がおそらく私の娘と同年配であろうと考えついたとき、それ以上の資料を読み進む勇気を、私は失った。

鉄血勤皇隊やひめゆり部隊を初めとする女子学徒隊は、今でいう中学生と高校生で編成されていた。その総数は二千三百六十一名に及び、過半数の千二百二十四名が死んだ。一平方メートルあたり十トンも降り注いだ鋼鉄の雨に打たれ、千五百隻の艦船から上陸してきた十八万三千の米軍に立ち向かったあげく、虫けらのように嬲《なぶ》り殺されたのである。

流行歌のかわりに軍歌を唄い、美しい母国語を吶喊《とっかん》の悲鳴に変えて死んで行った少女は、撃ち倒されて仰ぎ見たふるさとの夏空に、いったい何を思い、何を見たのであろう。ダブダブの軍服を着せられ、鉄甲《てつかぶと》をかぶせられ、銃を持たされた少女は、おそらく恋も学問の楽しみも知らなかった。だが、自分の死ぬべき理由だけは、正確に知っていたと思う。それは祖国のために死ぬということ、日本のために死ぬということである。

鉄血勤皇隊員として摩文仁《まぶに》の玉砕地に生き残った大田昌秀知事の主張するところに、議論の余地は何ひとつとしてない。誰が書類にサインをするかなどという政府のとまどいは、論ずるだに愚劣である。

考えてもみてくれ。大田昌秀という人は、あの戦を自ら体験したばかりか、戦後東京の大学に学び、米国に留学し、すべてを理解したのち沖縄県知事として立ったのである。平和な世の中で保身に汲々《きゅうきゅう》とし、時勢の赴くままにころころと節を曲げる正体不明の議員たちとは、そもそも人間としても政治家としても、物がちがうのである。もちろん重大な国際会議の予定を寸前でキャンセルするような不見識な大統領とは、全く比較にもならぬ大人物なのである。

私は四半世紀前のあのとき、なぜYの言わんとするところを真剣に聞かなかったのだろうと、今にして悔いている。耳に残るものが彼の主張ではなく、隊舎の非常階段で彼の吹いていたハモニカの音色だけであることを、深く恥じている。この先も、生涯の悔いとして残ると思う。正当な主張を誰にも聞いてもらえなかったYは、ハモニカのメロディにやり場のない怒りと悲しみを托するほかはなかったのであろう。

県知事の温厚な表情のうちには、五十年間少しも変わらぬ鉄血の流れていることを、われわれは知らねばならない。少くとも私は、古今東西のどのような偉人にも増して、大田昌秀知事を尊敬している。

氏は、目に見える正義そのものである。正義を看過する悪魔の所業を、われわれは二度とくり返してはならない。

思いこみについて

バブルの真最中のことであろうか、いきなり家人から、「ゲッキョクの本社はどこにあるのか」、と訊かれた。

小説家の家庭では無駄話が許されないので、会話は端的な質疑応答の形をとる。

ゲッキョクの本社――私は筆先を休めて、しばらく考えた。家人は多国語を巧みに操る教養人であるが、身勝手な男と所帯を持ったがために一般常識に欠けるきらいがあり、いわばいまだ浜松市郊外の茶畑に悄然《しょうぜん》と佇《たたず》んでいるふうがある。

「ゲッキョク？　何の会社だ、それは」

「不動産屋よ。そこいらじゅうに駐車場を持ってる会社。本社に問い合わせればいいところが見つかるでしょう」

ややあって私は思い当たり、喧《けたたま》しく笑った。とんでもない思いこみである。これが笑わずにおられようか。要するに家人は、上京して四半世紀このかた「月極《つきぎめ》駐車場」を「月極《げっきょく》」という会社の経営する駐車場であると理解していたのである。

私の説明に対し、家人は断然抗議をした。「月ぎめ」を「月極」と表記するのは東京のローカル・ルールであり、少くとも静岡県下の駐車場にそういう表示はない。それをあたかも無知のごとく嘲笑《あざわら》うのは、東京人の思い上りであろう、と。

百万読者の居住地域は果たしてどうであるか知らぬが、東京の賃貸駐車場には必ず「月極駐車場」という表示があり、当然私は昔からそれを「月ぎめ」と読んでいた。まさか「ゲッキョク」という不動産屋の所有にかかるものであるなどとは思っていない。

またこんなこともあった。

家人はあるとき病を得て医者から薬を処方された。鉄面皮であると同時に身体も頑健である家人が薬を嚥《の》むことは極めて稀《まれ》である。

食事中にフト箸を置いて薬を嚥み、また何事もなく飯を食い始めたので、おい、それは余りにも下品であろうと叱った。

ところが家人は、断然抗議したのである。この薬袋を見よ。食間に服用と書いてあるではないか、医師の指示に従うことがなぜ下品であるのか、と。

要するに家人は、「食間」とは「食事と食事の間」ではなく、「食事の間」だと理解していたのであった。このときもまたつまらぬ論争になったと記憶する。

決して無知ではあるまい。こうした思いこみは誰しも少なからず持っている。問題は、いつどんなときに露見してしまうかということで、時と場合によってはひどい大恥をかくことになる。

かつて私は、「都バス」すなわち東京都営バスを、「都《みやこ》バス」だと信じて疑わなかった人物を知っている。この程度ならまあ笑い話で済むが、四十年間にわたって洋式便座に「前向き」に座り続けていた男の告白を聞いたときには、とうてい笑えなかった。

ところでつい先日、私も四十三年間そうと信じて疑わなかった思いこみに気付き、愕然とした。最低最悪のタイミングで思いこみが露見したモデルケースである。

都内某ホテルのラウンジで、美しい女性編集者と仕事の打ち合わせをした。

おたがいひどく予定のたてこんでいた月末で、時刻は夜の九時を回っており、用件は急を要していた。

おりしも私はパーティの帰りで、目一杯のオシャレをしていた。女性編集者は日ごろ馬喰《ばくろう》のごとき私の姿しか知らない。彼女が原稿を取りにくるたびに、私は坂口安吾状態の悲惨な書斎のただなかに蹲《うずくま》り、薄い頭髪を火焰太鼓のごとく逆立てながら、「バカヤロー」を連呼するのであった。

馬子にも衣裳ということわざがある。パーティ帰りの私はまさかヨレヨレの作務衣《さむえ》を着てはおらず、薄い頭髪も意識的にショーン・コネリーを真似ており、芸能人は歯が命であるから、アパガードで真っ白に磨いてあった。待ち合わせ場所も高級ホテルのラウンジということで、「バカヤロー、いくら待ってたってへも出ねえぞ！」、などとはまちがっても言わず、「やあしばらく。待った？」、などと言うのであった。

女性編集者は某有名作家との会食の後だとかで、少し酒が入っていた。

仕事の話をおえ、べつだんの他意はなく酒を勧めた。私は例のごとくウーロン茶である。眼下には美しい夜景が撒き敷かれており、ピアノは「愛情物語」なんぞを奏でていた。

話題は自然と下世話に流れた。小説家は案外と話材に乏しいのである。しまいにはほとんど猥談になってしまい、いいかげん夜も更けたので、

「じゃ、そろそろ行こうか」、と席を立った。

もちろんこの発言にもべつだんの他意はない。彼女は思いがけなく迎え酒が効いていたので、べつだんの他意もなく肩を支えた。抱いたのではなく、支えたのである。

やがて二人はロマンチックなエレベーターの前に立った。ラウンジはホテルの中層階にあり、上は客室、下は出口である。

話がたいそうまどろっこしくなったが、実にこのタイミングで私の「思いこみ」が露見したのであった。

私はエレベーターの呼びボタンの押し方を誤解していた。ボタンが自分の意思方向を表すものだとはつゆ知らず、自分のいる場所にエレベーターを呼び寄せるものだと思いこんでい

たのである。

つまりこういうことだ。何ら他意はなく一階の出口に向かおうとした私は、エレベーターの所在が階下にあることを確認して、「こっちへこい」という意思をこめて▲を押した。エレベーターの仕組とはそういうものであるとばかり思いこんでいた。

おもむろに▲ボタンを押したとたん、彼女がハッと身を固くした理由が私にはわからなかった。

「あの……私、困ります。すみませんけど、困るんです」

物言いがひどく切実であったので、てっきり仕事の話の続きだと思った。彼女が年内に原稿を欲しいというのを、私は年明けでなければムリだとつっぱねたのであった。

「え？　ダメなのか。今さらそりゃないだろう、さっきはいいって言ったじゃないか」

「は……そんなこと言ってませんよォ。ダメダメ、やっぱり困ります」

「切ないことを言うなよ。俺だって忙しいんだぞ」

「それはわかります。お忙しくって、ストレスが溜まってるとか、イライラするとか、そういうのは良くわかってます。でも……やっぱりダメです。困っちゃいます」

「この期《ご》に及んでムリを言うなよ」

「ムリを言ってるのはそっちじゃないですか！」

「クソッ、なんてやつだ。よしわかった、編集長に言いつけてやる。二枚舌を使うとはけしからん」

「どうぞ、言えるものなら言って下さい。わが社はそんな下品な会社ではありません」

彼女は肩を支え続けていた私の手を、乱暴に振り払った。エレベーターはなかなかやってこない。
▼ボタンをせわしなく押しながら、彼女はフト悲しげな目を私に向けた。
「ガッカリです……まさかそんな人じゃないって思ってたんですけど。そりゃ長いこと編集者をやっていると、いろんなことがありますよ。いろんな先生にもお会いしますよ。でも、こんなのいやです。何だか仕事の続きみたいで……」

「え？……仕事の、続き……？」

不可思議の扉が開いた。何となくたいへんな誤解が生じているということがわかったので、私はエレベーターに乗りこむやいなやあわてて一階のボタンを押した。

扉はいったん閉まり、なぜか再び開き、やがてエレベーターは下って行った。

「申しわけありません。恥かかしちゃって……」

美しい編集者は一階のロビーに下りると、そう言って深々と頭を下げた。

その夜をしおに、担当は野獣のような若者に代わってしまった。願わくは彼女がこの項を読み、私の思いこみを理解して下さることを。

苦吟《くぎん》について

忙しい。まことに忙しい。

原稿遅滞中のお取引先に対しいささか言い訳がましいが、ものすごく忙しいのである。

蒲団を敷いて寝たのはたしか一週間前のことであり、以後はホットカーペット上でつかの間の眠りを貪《むさぼ》るか、座椅子の背に沈んでうたた寝する。昼飯はしばしば食いそびれ、怖ろしいことにここしばらく脱糞の記憶がない。

というわけで、読者の皆様から毎週たくさんいただくファン・レターに返事をしたためることもままならず、心苦しく思っている。有難く拝読し、忙中の活力とさせていただいております。

さて、例年のことながら師走となればなにゆえかくも忙しいのであろうと、真ッ黒になったスケジュールを分析して、その原因に気付いた。原稿の量は日ごろとさして変わらない。

つまり物を書く以外の仕事が十一月の半ばごろから増加しており、ために机に向かう時間が奪われているのである。

インタビュー、パーティ出席、グラビア撮影、打ち合わせ、会食、といった類いの、いわば「営業」が毎日何かしら予定されており、物理的な結果としてメシもクソも忘れて原稿を書かねばならないのであった。

まずいことに私は、性分として営業を好む。早い話が机にかじりついているよりも、千変万化の仕事を好むのである。そこにきて各編集部はおおむね十二月の二十日ごろから正月の五日かそこいらまで勝手に機能を停止するので、その間の営業仕事が束になって押し寄せる、というわけだ。

とは言え、やはり書斎の外の仕事は面白い。精神衛生上このもしいばかりでなく、見知らぬ人々と未知の仕事をするということ自体、極めて魅惑的なのである。

まあ、こうした事情の中で、先日いそいそと小説現代の主催にかかる新年句会に出かけた。担当編集者からのファックスには、何となく「座興」「お遊び」というニュアンスが感じられたので、さして深く考えずに快諾したのであった。しかし今にして思えば、伝統と格式を誇る小説誌が、新年の誌面を飾る句会をまさか座興で催すはずはなく、身のほども知らず罠に嵌《は》まった私が愚かであった。

自慢じゃないが俳句といえば五七五の数合わせとしか認識していない私であった。つまりそんな私にとって「神楽坂《かぐらざか》の待合で句会を催す」という企画は、「よみうりランドでバンジージャンプをやる」というのと、ほとんど同じ意味なのであった。

で、はからずもこれを「座興」と信じた私は、あろうことかお正月用の大島紬《おおしまつむぎ》に総絞りの兵児帯《へこおび》なんぞを締め、甲州印伝の信玄袋に雪駄《せった》をちゃらちゃらと鳴らして神楽坂の会場に向かっちまったのである。

もとより江戸ッ子はノリが良い。ウキウキと石畳の小径《こみち》を抜け、粋な引戸をカラカラと開けて、「えー、女将《おかみ》さんへ。音羽《おとわ》のお招きに与《あずか》りやした浅田でございやす」、などと呼ばわる。キャラコのあしうらが危ぶまれるほど磨き上げられた梯子段《はしごだん》を登り、大島の袖をポンと突いて、「えー、音羽の版元さんへ。新年あけましておめでとうさんです。このたびは年始めの句会てえことで、ひとつお手やわらかにねがいやす。いや、つるかめつるかめ」

襖《ふすま》をスルスルと開けたとたん、私は呆然とした。まさに身のほど知らずであった。座敷はすでに息づまる緊張感に満ちており、お遊びの雰囲気など毛ばかりもない。

音羽の番頭どもが四、五人も雁首《がんくび》そろえてかしこまっている。歳時記やら辞書やらが山と積まれた卓には、こわい顔をした速記者が控えており、カメラマンがバシバシとフラッシュを焚《た》く。

奥の間に目をやれば、上座には俳壇の傑物小林恭二氏がギロリと私の出でたちを睨む。相前後してやってきたメンバーはと言えば、句会の常連谷口桂子氏、佐藤亜紀氏。吉川英治文学新人賞のディフェンディング・チャンピオン薄井ゆうじ氏。今をときめく超売れっ子作家花村萬月氏。

挨拶もそこそこに、(ヤロウ、嵌《は》めやがったな) と、担当編集者を睨みつけると、心なしか快哉《かいさい》の笑みを泛《う》かべているではないか。

そりゃ企画としては面白いでしょうよ。大成功でしょうよ。極道作家が斯界《しかい》の義理事でもあるめえに大島紬でバリッと決めて、場違いな句会で五七五を指折り数えるてえの。

こうして私は、バンジージャンプの跳躍台にひとり立たされたのであった。

午後一時。ただならぬ緊張感のうちに句会は始まった。しかも、ルールがまたすごいのである。いきなり各人がそれぞれ題を出せ、という。すなわち六つ出揃ったお題について、六十分以内に六句以上を作れ、というのである。まったく心得のない私にしてみれば、一週間で四百枚の小説を書けというよりまだ難しい。

せめて自分の題だけでも簡単そうなものをと考え、「冬空」という極めて安直な題を出したものの、並いる俳人の皆さんはまるで私個人を責めるかのように無理難題を提示する。

いわく、「静電気」「時計」「神楽」「軸」「初」。

これでは一時間に六句はおろか、一日かかったって一句もできないのではあるまいかと私は青ざめた。バンジージャンプの方がまだマシだと思った。

苦吟のままに時は刻々と過ぎて行く。人々はさして思い悩むふうもなく、サラサラと短冊に筆をすべらせている。私ひとり跳躍台の上で石になっていた。

突如として妙案がうかんだ。そうか、俳句だと思うからいけないのだ。十七字の短篇小説だと考えればよいのではないか、とものすげえ発想の転換をしたあげく、私は音羽の番頭に原稿用紙を請求した。

するとあらふしぎ、条件反射というかパブロフの犬というか、一時間後にバイク便が原稿取りにやってくるといういつもの切迫感がひしひしとつのり、ほとんど自動書記のごとく筆が進み始めたではないか。

こうしてとにもかくにも、六句をなした。ぴったり一時間後に筆を擱《お》いた私は、まさに気息奄々《えんえん》たるありさまであった。

ふしぎなことに、句を吟じおえてしまうと座は急になごやかになった。午後六時までたっぷりと時間をかけて、それぞれの句を採点し、講評をし合う。まさにバンジージャンプのあとで芝生の上に車座になって、過ぎし緊張の一瞬を語り合う楽しいひとときであった。

後に小林恭二氏から伺った話であるが、この緊張と弛緩との落差が大きければ大きいほど、句会は良いものになるのだそうだ。

やがて私たちは快い弛緩にひたったまま、凩《こがらし》の吹く町に出た。ソバを食い、酒を飲み、夜も更けるまで語り合った。

作家はおしなべてプライドが高く、たとえ泥酔しても己れの本音を語ることがない。プライドを維持すること自体が足場《スタンス》の確認であり確保であるのだから、自然とそうなる。

だがどういうわけかこの夜に限って、彼らはとうとう書くことの苦しみを口にし、私も珍しく愚痴を言った。

ふと、音羽の番頭が会に先立って言った言葉を思い出した。

「句会に参加した作家は仲良くなる」のだそうだ。要するに、緊張のあとの弛緩がそうした親密な関係を作るのであろう。本来タブーとされている己れの苦悩を晒《さら》し合ってしまえば、たしかにどの方も他人とは思えない。

文壇という慢性的に緊張した閉鎖社会の中で、こうした句会のもたらす福音ははかり知れない、と思った。音羽の番頭は私をうまく嵌めてくれたのであろう。

真夜中の路上で別れたとき、何だか同窓会のはねた後のような気分になったのは、ひとり私だけではあるまい。

年内に四百枚の小説をそっくり書きおろし、それとは別に百枚を仕上げ、もちろん二本の週刊誌連載もこなさねばならない。営業スケジュールもつまっている。どう頑張っても、小説現代から依頼されている短篇だけが、年を越してしまう。

初空に　散り残りたる　黄櫨《はぜ》一葉《ひとは》

破倫について

「人倫」とは、人のふみ行うべき道のことである。しばしば成句として、「人倫に悖《もと》る行い」などというふうに使われる。

人倫に悖る行い、すなわち人の人たる道に背《そむ》く行為を、「不倫」もしくは「破倫」という。前者は近ごろ、本義を外れてもっぱら一人歩きをしている言葉なので、ここではあえて一般にはなじみの薄い後者「破倫」を用いる。私の述べんとするところは、より語感の強いこちらの方がむしろふさわしいと思う。

以後、一年の掉尾《とうび》を飾り新しき年の始めを寿《ことほ》ぐ合併号に、まこと不穏当な文章を掲げることを、どうか許していただきたい。

私はかつて本稿に、大田昌秀沖縄県知事こそ目に見える正義そのものであると書いた。表現は適切であると信ずる。五十年の長きにわたり人のふみ行うべき道を全《まっと》うし、今また断固として人倫を貫かんとする知事は、神のごとき正義である。

ところがこの稿を書くただいまより数日前、一国の宰相であるらしいバカヤロウが、こともあろうに正義を相手どって法廷で争うという構えを明らかにした。地権者も町村長も県知事も拒否した署名を自らがなすために、必要な法的手順を踏む、ということである。

「バカヤロウ」は「馬鹿野郎」と書く。人倫に悖る行いをする者は人間ではないから、こう呼ぶことに支障はあるまいと思う。つまり日本国民は不幸にして、この一年のうちに村山富市と麻原彰晃という二人の真性馬鹿野郎を知ってしまったのである。

心が畜生なら頭も畜生なみであろう。万がいち読んでもわからないと困るから、馬でも鹿でもわかるように説明する。

政《まつりごと》とはそもそも、民の暮らしを安んずるために行われるものである。内閣も国会も官庁も司法も、その目的を合理的に遂行する機能にすぎない。人類が数千年の間に造り出し、よりよく造り変えてきた一種の機械である。機械を正しく作動させるものは人間であり、その性能が歴史とともに向上すればするほど、人間にはさらなる「人倫」が要求される。

県知事は民の暮らしを安んずるという政の原義をもって、不正と矛盾とを正そうとしている。署名を拒否するということは、つまりそういうことなのである。しかし政府は、法の機能をもってこれを掣肘《せいちゅう》しようと企図している。人の心を機械で制御しようとしているのである。このことひとつをとっても、行いはすでに破倫である。

決して下げずとも良い頭を下げてまで願い出た県知事に対して、問答無用に首を刎《は》ねるような政府を、われわれは戴いていることになる。政の本義をわきまえている者ならば、人類の機能的精華である日本国憲法の精神を正しく理解している者ならば、少くとも知事とともに米国に赴き、具体的交渉にかからねばならないはずなのである。

沖縄県民の総意を無視して法的手続を執行するということは、まさに機械のボタンを押す行為であり、そこには人間の尊厳も国家の自立もなく、ただ安保の走狗《そうく》たる破倫のあるばかりである。

沖縄の米軍基地を無くすること、このことにいったいどんな不都合があるのだろう。少くともいたいけな少女が他国の兵士に凌辱されること、いや、領土の中に他国の兵士が進駐していること自体、沖縄県民ならずともすべての日本国民にとっての不幸である。

この不幸を排除するにあたって、怖れるべき理由は何ひとつないと思う。東京都民も沖縄県民も等しく日本国民である。具体的交渉の結果、国が病むのであれば、甘んじて共に病むのが人の道であろう。仮にそうなったとしても決して失政ではない。

政府は国民の心を知らぬばかりか、国民の力をも信じていないのであろう。戦は愚かしいことであるが、ことの良し悪しはともあれ、われらはかつて世界中を敵に回して戦った、有史以来唯一の民族ではなかったか。

たとえ戦に敗れても、日本国民の本質に変容はない。一ドルが二百円を切れば国家は破綻すると言われたのに、百円の今日でもなお企業は立派にメイド・イン・ジャパンを世界に輸出し続けているではないか。焼野原の神戸を駆け回ったボランティアは、戦も何も知らぬ若者たちではなかったか。すなわち不変の心と勇気とを持った国民は誰ひとりとして沖縄の現状を良しとはしておらず、国家の機能ばかりが臆しているのである。

　翻って言えば、現在の政府は五十年前に沖縄を本土決戦の捨て石とした大本営の作戦を、いまだに踏襲しているのである。このような破倫行為の共犯者になるくらいなら、英明なる日本国民のすべては日本人の矜《ほこ》りにかけて、いや人間たるおのれの尊厳にかけて、おのおのの豊かな生活を放棄するはずである。兄弟の不幸の上に胡座《あぐら》をかいて幸福に生きようなどという卑しい日本人は、ただの一人もいない。

　さて、私がかくも激昂《げっこう》するのには、公筆を預かる者としての理由がある。

　本稿に沖縄問題を書き始めて以来、毎日のように全国の読者から同意同感の書簡をいただいている。堆《うずたか》く机上に積まれたそれらを読むにつけ、こうして書かずにはおられない。

　ここに一通の内容を紹介したいと思う。沖縄県出身の二十三歳の女性からの手紙である。

　彼女は高校卒業まで住んでいた沖縄のことをあまり知らない、と悔いる。祖父は戦争で亡くなっているのだが、それは当たり前のことなので特に何も感じない、と言う。米兵に街でウィンクされるのも、声をかけられるのも、当たり前なのだと言う。

　親類に混血の女の子がいるのだが、それすらべつに特別のことではなかったので、その子の父親に招かれて基地の中に入ることを、むしろ楽しみにしていたのだと言う。だが——その米兵には本国に家庭があった。子供は任地での愛人の子だったのである。

父が帰国してしまったあと、母親が死んだ。

「——その時、アメリカの父親にファックスを送ったが返事が無いと目を伏せて言いました。その時十八歳か十七歳だったその娘は、母親が煙になっていくその焼却炉の前に、一人でジッと座っていました——」

五十年という長い時間の中で生まれ育った彼女らは、すでにすべてを「当たり前の日常」としか認識しえない。だが、米兵の不実の子として生れ、母の遺体を焼く焼却炉の前にジッと蹲《うずくま》る少女の姿が、人間として当たり前の日常であろうはずはない。

彼女の小さな背中を思いうかべるとき、かつてわけもわからずに悲劇に見舞われた多くの沖縄の少女たちの姿が、同時に想起される。

生きんがために白旗を掲げて、よちよちと米兵に歩み寄る少女。だぶだぶの軍服を着せられ、ふるさとの青空にうつろな瞳を見開く少女の骸《むくろ》。そして、涯てもないさとうきび畑の道を、凌辱された体をひきずって歩く少女の姿。

一番弱い者がなぜこんな目に遭わねばならぬのかと激怒した大田知事は、彼女らの父母になりかわってそう言っているのである。この言うにつくせぬ声を一顧だにせぬ破倫を、われわれは看過してはならない。

手紙はさらに言う。

「——沖縄はあの小さな土地で、あれほどの基地面積です。ほんとに広いのです。でもそのおかげでお金をたくさん頂いている県民もいます。考えれば考えるほど、良い方向へはどうやってもっていけばいいのか……」

抗議行動のプラカードに、「米兵よ鬼畜となるな」という切ない檄文《げきぶん》のあったことを、どうか思い出していただきたい。基地の存在を厭《いと》いながら一方ではそれを糧《かて》とせねばならなかった沖縄県民の苦渋の声そのものである。

手紙の末尾の、「読んで頂けたのなら、ありがとうございました」という一文を読んだとき、私は涙が出た。ありがとうございましたと言われても、売れない小説家にできることは他に何もない。力のある関係者のひとりひとりの良識に期待をするばかりである。

かつて大田昌秀氏が摩文仁《まぶに》の巌《いわお》に刻んだ「敗戦」の二文字を、われわれはどうしても消しに行かねばならない。

人間としてのつとめである。

持続について

年頭にあたり、なにかしら百万読者を啓発するようなものを書かねばならん、と思いつつ、目先の私事にかまけて心が定まらない。

作家は全身が一種の考える機械であるから、いったん筆先が停止してしまうと、あたかも蛇口を封じられた水道のごとく思考が膨満してしまい、恐慌状態に陥る。

こうしたとき、たとえば犬を連れて散歩に出るとか、軽い運動をするとか、長風呂につかって汗を流すとかいうのが正しい方法なのであろうが、私は根が執念ぶかいので悩めば悩むほど机の前を離れられなくなる。気分転換というものを知らんのである。

地獄じゃ地獄じゃと呟《つぶや》きつつ雑念でパンパンに膨れ上がった体を悶《もだ》えていると、突然ケツの下の妙な窪《くぼ》みに気付いた。

私は執筆にあたって常に文机《ふづくえ》を用いている。べつだん必然的理由はないが、幼時からの貧しい住宅事情により椅子とデスクを使う機会がなかったので、今日でも大あぐらをかいて原稿を書いているのである。

日に十数時間も同じ姿勢で座り続けていると、畳がケツの形にへこむ。そこで何ヵ月かに一度、卓を少し移動させてこの窪みから脱出する。

たまに思いついてこれをやると、何だか地獄から脱出した気分になり、筆が進み始める。つまり、地獄を感ずるまでこれに思いつかず、体は数センチの地獄に沈んだまま苦悶しているのである。

いま、一尻分《ひとけつ》の移動をしたついでに室内を歩いてみた。卓は数年の間に六畳の書斎をほぼ半周している。怖ろしいことには、壁面から一メートルの位置、つまり卓の奥行を隔てて座る位置に、十数個ものわがケツ跡が並んでいるのである。足袋《たび》のあしうらにもはっきりそうとわかるほどの窪みのつらなりであった。

愛しい尻跡《けつあと》をあしうらでたどって行くと、悲しい気持ちになった。

これが徴《しる》されているのは、十年住み慣れたこのボロ家ばかりではあるまい。一駅離れた町に借りている昼間用書斎にも、そろそろいくつかの尻跡が残っていることであろう。悪い半生のために二十数回の転居をくり返したかつての居室には、今も原因不明の窪みが残っていて、後の住人たちを悩ませているのではあるまいか。

子供の時分からどうしても作家というものになりたいと思いつめた結果、ろくな小説も書けずに膨大な尻跡だけを、私は残してきたのである。

もともと筆は遅い。他の同業者のペースは知らんが、私の場合は本稿の短文を書くのにも六、七時間を要し、昨年ようやく脱稿した長篇小説には二年の歳月を費した。なんとか人並の仕事をこなしているのは、そのぶん長く座り続けているからなのだ。

おまけに読む速度も遅い。概《おおむ》ね一時間で原稿用紙百枚分というのが私の読書ペースで、よほど根を詰めても一冊の読了に五、六時間を必要とする。悲惨な尻跡はつまり、こうしたアナログ生活の結果である。

まるで調練をされた兵士がズラリと並ぶような、整然たる尻跡を指でさぐれば、ふと思いついた「持続は力なり」などという言葉も空疎《くうそ》にしか感じられなかった。

問題は、その尻跡を刻み続けてきた長い時の間にも、私は誰がしかの子供であり、親友であり、恋人であり、夫であり、親であったという事実である。

ついに一杯の酒すらくみ交わすこともなく父は死に、胸襟《きょうきん》を開く間もなく多くの友は去り、一行の愛の言葉さえ聞かずに恋人は別れ、妻子は今もなお達磨《だるま》のごとき男の背中を見続けていることになる。

そう思えば、尻跡はまして悲しい。

もっともこうした悔悟は読者の誰にとっても同じであろう。私の場合は作家という仕事の性質がたまさか尻跡という象徴的な形で確認されるが、多くの読者も全く同様な仕事の痕跡を、たとえば古靴の詰まった下駄箱の中に、あるいは洋服箪笥《だんす》の奥のすでに省《かえりみ》ることのなくなった背広の行列の中に、明らかに見出すことができるはずである。

今さら悔いたところで、真面目に生きるというのはそういうことなのだから仕方あるまい。

ところで、読者が感慨あらたに古い背広の行列を眺めるがごとく、私もわが尻跡にまつわるかつての仕事ぶりを思い返さずにはおられなかった。

作家になろうと思い立った少年のころから二十代のなかばまで、「仕事」の主たるものは筆写であった。これは二十歳で夭折《ようせつ》した先輩から教わった文学修業の方法で、ともかく古今の名作を、ひたすら原稿用紙に書き写すのである。

気の遠くなるような話であるが、小遣のすべてを原稿用紙にかえて、鷗外や鏡花や谷崎を毎晩筆写した。この修業を命じた先輩を、私は神のごとく尊敬していたので、そうしなければ将来小説家にはなれないと信じきっていた。

畳をへこませて机に向かい始めたのは、それからである。写しおえた原稿の束を学園に持って行き、高等部の教室を訪ねて先輩に見せた。自分のオリジナルな文章を読んでもらったという記憶はない。

「金閣寺」を写しおえたとき、さぞかし褒《ほ》められるだろうと思ったら、夏休み中に「細雪」を全部写せと言われた。「細雪」といえば、なにしろあのごうつくな厚みのある「細雪」のことである。中学三年生には理解することすらできるはずのない名作を、私は家族に怪しまれながら写し始めた。

先輩はその夏に、信州の湖で溺れて死んだ。訃報《ふほう》を聞いた晩、私は泣くことも嘆くこともできず、ほとんど錯乱しながら「細雪」を写した。一晩に五十枚の原稿を書いたのは、後にも先にもその夜だけである。何だか夏休みの終わった始業式の夜に、今さらもう間に合うはずのない宿題をやっているような気分であった。

この先輩のことは、正月早々あまり縁起の良い話ではないので、いずれ日を改めて書きたいと思う。

ともあれ、小説家志望の先輩の突然の死によって、私の人生はまちがいなく変わった。志を享《う》け継がねばならない、という少年らしい使命感に捉われた。そして永遠に、名作筆写の宿題が残された。この使命感と方法は以後十数年にわたって私を呪縛し続け、ゆえあって自衛隊に在籍した二年間を除き、アパートの畳にえんえんと尻跡を残し続けた。

この呪縛からようやく解き放たれたのは、二十代も末のころである。投稿した小説がさる文芸誌の新人賞の選考に残り、写すよりも書くべきであると悟ったからであった。要するに私は、戦の終わったことを信じずに十数年も密林にたてこもっていた老兵のようなものであった。

ようやく腰を据《す》えて小説を書き始めた私の部屋の畳に、しかし同じ尻跡は続く。かくて四十四歳の春に至るまで、尻跡は座卓とともに移動し、ふしぎな凹凸を壁面から一メートルの位置に並べ続けているのである。

原稿が初めて活字になったのは三十五歳のときで、初の単行本が上梓《じょうし》されたのは、四十歳まであと数日というころであった。そしてようやく昨年の春に、文学賞をいただいて作家だと名乗れるようになった。

持続は力である、と思う。しかし文章に倦《う》んじ果てた冬の夜更《よふ》け、連綿とつながるわが尻跡に気付き、闇の彼方《かなた》に置き忘れてきたさらに多くの尻跡に思いをはせれば、そんな文句は吐き気を催すほどおぞましい。

いま、もっと怖ろしいことに気付いた。暖かな書斎には呼びもせぬ猫どもが集まる。長年の厳しい躾《しつ》けにより、彼らは執筆中の主人の膝には入ろうとしない。ただ、あちこちに身を丸めて寝ている。

まさかと思って良く良く見れば、五匹の猫が眠っているのはすべて私の尻跡の中なのであった。

悔悟は多少ぬぐわれ、新たな年への闘志が湧いた。

不平不満はさておき、男の尻跡はさぞ心地よかろう。

論争について

人間の身体的欠陥を活字にする、もしくは電波を通じて語ることは、今日タブーとされている。いわゆる「差別的表現」というやつである。

ただし、どれを可としどれを不可とするかという基準は曖昧であるから、われわれは出版各社のそれぞれに異なる基準をいちおう頭に入れたうえで原稿を書かねばならない。良識とはまことに不自由なものだと痛感する。

ところで、近ごろふしぎに思うのだが、「デブ」「ブス」「ハゲ」「チビ」等の言葉は、なにゆえこの基準から洩れているのであろう。いずれも明らかかつ重大な身体的欠陥であり、十分に差別的であると思うのだが、これらについては鬼のような校閲人から指摘されたというためしがない。

過日ふと思い立って、差別的表現のエキスパートと覚しき編集者にこのむね問い糺《ただ》したところ、極めて断定的な回答がファックスされてきた。

「これらの現象は欠陥というより、むしろ個性というべきであり、自由な表現によって各人が傷つくほどのものではありません」

日ごろ「ハゲ」という表現によっていたく傷ついている私は、この回答に激怒し、たちまち殴り書きのファックスを打ち返した。

「貴兄の判断には疑問を感ずる。ハゲを個性であると断定するのは、ハゲていない貴兄の客観であって、ハゲである私の主観によればハゲは明らかに差別的表現である。ハゲを個性と断ずる合理的理由をさらに説明されたい」

年末進行の忙中にも拘《かかわ》らず、筆マメな編集者はわずか数分後にファックスを送り返してきた。

「どうかお気を悪くなさらず。小生の思うところ、デブ、ブス、ハゲ、チビ、等は必ずしも不可逆的宿命ではありません。あえて合理的理由を述べるとするなら、そういうことです」

おおっ、言ってくれるじゃねえか。私はとっさに受話器を取ったが、思い直して異議を紙に書いた。電話で話せばまちがいなく論争になる。

「拝復。さらなる疑問を申し上げる。デブについてはたしかにダイエットという矯正手段があるが、ブス、ハゲ、チビ等は明らかに不可逆的な現象である。貴兄はいったい何の根拠を以てこれらまで不可逆的宿命ではないと断定なされるのか」

この疑義には多少の思考時間が必要であったとみえて、約十五分後に回答が寄せられた。

「お答えいたします。デブにダイエットという方法があるごとく、ブスには化粧、チビにはハイヒール、ハゲにはカツラという矯正手段があります。したがってこれらはすべて、不可逆的な不幸ではありません。加えて思うに、これらは決して絶対的欠陥ではなく、他人に較べて相対的にこうである、という現象に過ぎません。小生は差別的用語の選択にあたり、この絶対的か相対的かという点を最も重視するものであります」

さすがは団塊の論客である。どうも全共闘世代というやつばらは、ろくに学問もせずに論争ばかりしていたせいか、言い争いになると達者なのである。

私の胸に、かつてさまざまの職場で三つ四つ年長の上司にいつも抗《あらが》う術《すべ》もなく言い負かされてきた屈辱が甦った。

再び、怒りの返信。

「ハゲの可逆性、すなわちカツラの矯正力については百歩譲って了解する。しかし、貴兄の相対性理論には納得が行かない。まず、小説現代新年号の〈初春大句会〉を見よ。同年配の男性作家が四名参加しているが、小林恭二氏、薄井ゆうじ氏は全然ハゲてはおらず、一見ハゲに見える花村萬月氏は人為的スキンヘッドである。すなわち、私ひとりが絶対的ハゲである。次に、小説宝石新年号巻頭カラーグラビアを見よ。光文社の悪意により、いきなり私のハゲ姿が掲載されている。アップである。カラーである。長い一年の第一ページを飾るハゲである。以下のページを繰れば私のハゲの絶対性は明らかであろう。年下の鈴木光司氏、鈴木輝一郎氏はまあまだ不確定の未来があるにせよ、私より年長の小嵐九八郎氏はみごとな頭髪を保っておられるではないか。すなわち、ハゲは決して相対的現象ではなく、貴兄が相対的だと誤解しているのは、ハゲかかったほんの一時期の印象のことである。そんなものはハゲでも何でもない。ほとんど経過を顧《かえり》みる間もなく、一気に来るのがまことのハゲである。しかも、たび重なるグラビア進出によりハゲ姿を全国読者にあまねく公開してしまった私は、カツラをかぶるという矯正の機会すらすでに失われてしまった。以上、動かざる物的証拠により、貴兄の主張する相対性理論は全く説得力に欠ける」

さしもの論客も抗弁を失ったようであった。しかし、ついに恨み重なる団塊世代を屈服させたと、勝利のコーヒーに酔いしれる間もなく、約三十分後にファックスが送られてきた。

「拝復。ご説ごもっともと感服いたしました。しかし、もしや先生は必要以上にハゲを醜いものと思ってらっしゃるのではありませんか？　ただいまご指摘の両誌をじっくりと観察いたしましたが、なかなかどうして、みごとなハゲッぷりです。どこからどう見ても、これは欠陥ではなく、個性であります。どうかささいなことなどお気になさらず、ご活躍下さい」

論争に敗れたとき、全共闘世代はしばしばこういう手を使う。決して敗北を認めず、スルリと話頭を転じて逃げるのである。「みごとなハゲッぷりです」などというフレーズは、ほとんど捨てゼリフに近い。

私は食いさがる感じで返事を送った。

「勝手に議論をやめるな。私はたしかに必要以上のコンプレックスを抱いているのかもしれない。しかし、ハゲを醜悪なものとする理由はある。世の中には痩せた女性より豊満な女性を好むという男は数多い。かくいう私もデブフェチのひとりである。力士は女にモテる。ブスについては蓼《たで》食う虫も好き好きという言葉があって、よほど決定的なブスでない限りは縁遠いということはない。むしろ美女の方が良縁に恵まれぬことぐらい、編集部をぐるりと見回してもわかるであろう。チビはチビなりに可愛い。ナポレオンはチビであったが、天は往々にしてチビに特異な能力を授ける。だがしかし、ハゲにはその美的欠陥を補う能力が、何ひとつとして与えられてはいない。俗にハゲは絶倫という説があるが、わが身に照らして思えばそれすら迷信である。なにしろ、毛髪という本来人間にあるべき身体の一部がないのである。私はかつて、デブフェチの女を知っている。小さい人が好き、という女も知っている。美女がしばしば醜男とデキるのは周知の事実である。しかし、ハゲが好き、という女にはついぞ出会ったためしがない。しかも、こと恋愛に関してのみならず、現実の生活においてもハゲは不自由なのである。獅子のごとき貴兄にはわかりはすまいが、ハゲは炎天下には暑くてたまらず、冬はことさら寒い。何かの拍子にちょっと頭をぶつけても、たちまち皮膚がさけて血が出るのである。このように重大なハゲである私に向かって、みごとなハゲッぷりですはないだろう。すみやかに前言の撤回を要求する。重ねて言う。美しいハゲなどいない。健《すこ》やかなハゲもいない。ハゲで得をしたことなど、パーティの人探しのとき以外はない。しかも場合によっては、これすら損なのだ」

と、殴り書きのファックスを送りつけてしまってから、私はふと気付いた。

たしかに私は、どのように混雑したパーティの席でも、簡単に見つかってしまう。原稿遅滞の折から、得より損が多いのである。そして実は――件《くだん》の編集者こそ私が最も不義理をしている人物ではなかったか。

彼に書き下ろしの原稿を依頼されたのは三年も前の話で、仕事はただの一行もしないうちにたびたびタダ飯をごちそうになり、妙に親しくなってしまったのであった。

年末のクソ忙しいさなか、彼はいったいどんな気持ちで身勝手な男のファックスを読み、返事をしたためているのであろうと思った。

「ご多忙中のところ、お手数をおかけしました。明くる年は必ずお約束を果たします」

と、素直な気持ちを書いて送ろうとしたところ、着信のピー音が鳴った。

いかにも全共闘ふうの、アジ看板のような太書きのマジックで、こう書いてあった。

「ハゲましておめでとうございます」

つまらぬシャレだが、怒る気にはなれない。

四十肩について

四十肩というやつになってしまった。

私は四十四歳であるから、「四十肩」と言うべきか「五十肩」と言うべきか微妙なところであるが、おまけで四十肩ということにしておこう。

思うに、本誌読者の相当数は私と同様の痛みに、今も顔をしかめているのではなかろうか。対抗誌「週刊P」の読者は未だこの苦痛を知らず、かと言って新聞社系の週刊誌の読者は、すでに完治しているであろう。したがってこの稿は本誌にこそふさわしい。

さて、職業がら変な取材癖のある私は、発症するとたちまち親戚知人同級生編集者通りすがり等、当たるを幸い四十肩についてのインタヴューをとった。

そのデータによると、最も早い発症は三十五歳、遅い人は五十五歳、遅かれ早かれほぼ全員が全く同じ症状に悩まされていることを知った。

これから発症する方のために、どういう経緯で病状が進むかをお伝えしておこう。

まず初期症状として、左右いずれかの肩に偏《かたよ》ったコリが自覚される。多くの場合は、利き腕の方である。

数ヵ月後、肩のコリなど忘れちまうような強いコリが、背中の肩甲骨下端部、俗に言う「ケンビキ」に現れる。これは肩のコリとは全く異質な、一点に集中するような痛みである。ほとんど指先ぐらいの部位が、まるでそこに病巣でもあるかのように、正確に痛む。そしてこの痛点はしばしば移動する。

そのうち痛みはどんどんひどくなり、時として息もできぬほどになるので、ことに血糖値の高いオヤジはつい心臓疾患を疑う。ちなみにこの痛みには、お灸《きゅう》がたいそう効く。

さらに数ヵ月後、背中の痛みは再び肩関節に戻る。これは第一段階の肩コリなどとは較べようもない。ジッとしている分にはまあ辛抱できるのだが、ちょっとした動作のたびに思わず蹲《うずくま》ってしまうような激痛が走る。ちょうど股間を蹴られたような、体を丸めたまましばらく身じろぎもできぬほどの痛みである。例えて言うなら、「肩関節が脱臼《だっきゅう》しかかっている状態」、であろうか。かくて四十肩は「完成」する。

ところで、聞いた限りでは、激痛を伴う「ちょっとした動作」には多少の個人差があるらしい。大別すると、①手を上方に上げる②手を後ろに回す③掌《てのひら》もしくは肘《ひじ》をつく——の三種類である。

私の場合、①は案外平気なのだが、②はテキメンに悲鳴を上げる。ところが、この手を後ろに回す動作というのは、実は日常生活に多いのである。

ホットカーペット上に胡坐《あぐら》をかいて仕事をする私は、原稿を書きながらしばしばケツをカく。こんな動作は長年の習慣であるから、誰もいちいち考えながらケツをカいたりはしない。すなわち、甘い恋物語なんぞを書きながら、思わずケツをボリッとカいたとたん、ああっと悲鳴を上げて倒れることになる。これを、一晩に二、三度は必ずやる。

服を着替えるときも、また然《しか》りである。私はクサい小説家になるのはいやなので、日に三回は着替えをする。子供のころおふくろに言われた通り、シャツはパンツの中に入れ、パジャマの上衣はズボンの中に収める。こうすると腹が冷えない。長年の習慣により、この着衣時の動作もいちいち考えずに行ってしまう。すなわち、パンツをはくたびにああっと声を上げて倒れることになる。

先日など、パンツをはいて倒れ、しばらくのたうち回ったあとようよう痛みが治まったので、気を取り直してモモヒキをはいたとたん、またブッ倒れた。

さらに困ったことは、大便後の後始末である。生れてこのかた、クソは毎日するものと決まっているので、いちいち考えながらケツを拭きはしない。しかもまずいことに、私は用便中読書にいそしむ癖があり、トイレは神聖なる思惟《しい》の場であると認識しているので、特設の書棚にはことさらこむずかしい専門書が常備されている。ちなみに、クソの出が良い書物といえば、まず東洋文庫の中国思想関係書、防衛庁戦史室の編纂《へんさん》にかかる戦史叢書《そうしょ》、加うるに競馬四季報。なるたけ活字のギッシリ詰まった難解な書物がよろしい。シャレではないが、永井荷風の『断腸亭日乗』もクソヒリ本としての効果は大きい。

要するに『中国思想のフランス西漸《せいぜん》』なんて、バカバカしいぐらいに難しい本を読んでいれば、まさかてめえの四十肩などに心を配るいとまはなく、やおらグイと右手をケツに回してしまう。ただし、大声であぁっ、と唸っても家人に怪しまれない場所であることは幸いである。

この②の体位に変則バージョンがあることを近ごろ知った。車の運転は、右手を後方に回すことなど有りえないから、けっこう安心していられる。ところが先日、後方視界の悪い場所でバックを試みた。右手でハンドルを握ったまま、左手で助手席を摑み、体をグイと振り向けたら、ああっとそのままブッ倒れてしまった。なぜだッ、とよくよく考えてみれば、答えは簡単であった。腕は回さなかったが体の方が回ったのだから、腕を回したのと同じことなのであった。

さて、③の「掌もしくは肘をつく動作」ができなくなったのはこの冬からである。

暮の中山競馬場において、ゴンドラ席のテーブルに肘をついて双眼鏡を覗いたところ、あっと叫んで俯伏《うつぶ》せてしまった。ゴール前のデッドヒートならまだしも、スタート直後であったからたいそう恥ずかしい思いをした。以来、掌もしくは肘をつくという動作が全くダメになった。

しかし、この動きも日常生活には多い。年とともに脚力が衰え、手の力に頼るから、起居動作のほとんどは掌もしくは肘をついて行う。気をつけて左手を使うようにしているのだが、それとていちいち考えるわけではない。

まずいことにこの動作でギクッとやると、アクションが小さい分、はためには何だかわからんうちにひどく苦しんでいるように見えるらしい。

たとえば先日、サウナルームの中で一段上の席に座り直そうとして床に手をついたとたん、ああっと白目を剝いた。二流作家であるが一流サウニストである私は、他人がビックリするほど長時間の発汗に耐える。このとき周囲にいた人々が、みな私の脳卒中か心筋梗塞を疑ったのは無理からぬことであった。

現在、症状はさらに進行しているように思える。「ああっ」と声を上げる動作の範囲は、徐々に狭まってきているような気がする。医者に行ってブロックしてもらえば痛みはなくなるというのだが、注射はいやだ。

そこで、家庭医学百科を繙《ひもと》き、「五十肩体操」なるものを実践することにした。ちなみに、ナゼか「四十肩」という病名はない。

五十肩体操(A)——適当な長さの棒を用意し、その両端を痛い方を上、痛くない方を下にして握り、下の手で棒を突き上げる。

五十肩体操(B)――壁に向かって横向きに立つ。一歩離れて痛い方の手を壁に当て、手首と指を動かしてできるだけ上までせり上げる。次に正面を向いて同じ動作。

五十肩体操(C)――テーブルのそばに立ち、痛くない方の手を乗せて体を支える。痛い方の手でアイロンを持ち、前後左右に動かす。

五十肩体操(D)――かもいにロープを掛け、痛い方の手ができるだけ上に持ち上がるように、痛くない方の手で引っぱる。

と、このメニューを継続して行えば、数ヵ月で完治し、再発することはないそうだ。だがこの体操は考えただけで痛い。おそらくは、さあ始めるぞとその恰好をしたとたん、ああっと叫んでブッ倒れるにちがいない。痛みをこらえて実行するなど、ほとんどハラキリを連想させる。

データによれば、この痛みは一過性のもので、時期を過ぎれば自然に治るそうだ。しかし時を待つほど誰しもヒマではあるまい。

ご同輩はどのように抗っておられるのか、良い方法をご存じの方はお教え願いたい。

霍乱《かくらん》について

一月十二日払暁《ふつぎょう》、とうてい正気の沙汰とは思えぬ年末年始の仕事をおえた。遅ればせながら明けましておめでとう、の気分である。

興奮もさめやらぬまま、書きとばした原稿を勘定してみると、何と六百五十枚もあった。数を書きゃいいというものでもないが、四十四歳という年齢を考えれば、ようやったという気がする。

いつ年を越したのかは定かでない。家人の説によると、蒲団《ふとん》の中で寝ていたのは一月七日の晩だけで、クリスマス以降はずっと座椅子の上で「寝起き」していたそうである。

元自衛官の体力過信は怖ろしい。草を食《は》み野に伏《ふ》して演習場を駆けめぐった四半世紀も前の日常を、あたかも昨日のごとくに考えているフシがある。

どうしてもその日までに仕事をおえねばならなかった。翌《あく》る十三日から一泊二日の予定で箱根に行く。老母と兄と私との水いらずの旅は、四十年ぶりのことであった。

同年配の読者の中には、こうしたご旅行をなさった方はけっこうおいでになると思う。老いた親と中年の子供らの、慰労と懐旧の旅。行楽というよりも一種の儀式であるから、旅先で憂いのないよう仕事は事前に片付けた、というわけだ。

さて、十二日の早朝に座椅子から立ち上がった私は、脱稿に伴う営業仕事を丸一日かかって終わらせ、夜は本誌の新年会に赴き、深夜二時まで六本木界隈で馬鹿騒ぎをし、結局ほとんど眠らずに翌日、ロマンスカー車中の人となった。

何しろ四十年ぶりの親子旅行であるから母も兄も大はしゃぎで、積もる話に花が咲く。箱根湯本に降り立てば、兄はセピア色に灼けた四十年前のスナップを持ち出して、それと同じフォルムの写真を撮ろう、などと言う。古写真の中の紅顔の美少年二人は、うりふたつのハゲ頭を並べて橋上に肩を組み、観光客の笑いを誘った。

登山電車で強羅《ごうら》に至り、老母へのねぎらいというより兄弟のミエの張り合いによって選定された高級旅館に投宿。長湯につかり、懐石料理に舌鼓を打ち、カラオケに興じ、楽しい一夜は更けて行った。

と、こうした流れの中で私は、自分の肉体がどれほど疲労困憊《こんぱい》の極に達しているのか、省《かえり》み る暇もなかったのである。

深夜零時、座敷の灯を落として寝物語を交わしているとき、突然と霍乱《かくらん》した。

ウトウトしたかな、と思う間に強い吐き気に襲われた。私はからきしの下戸であるから酒は飲んでいない。冬場の高級旅館でまさか食あたりということもあるまい。これはいったい何だ、と考える間もなく、駆けこんだトイレで激しく吐きながら前後不覚に陥った。

呼吸がうまくできない。便器を枕にしたまま腰が抜けてしまい、脂汗ばかりが噴き出た。手足の痺《しび》れが次第に全身を冒して行く。

齢《よわい》七十となってもかつてのヒステリー癖のおさまらぬ母は、「あー、たいへんたいへん、ジロウが死んじゃう!」とうろたえる。ふしぎなぐらい沈着な行政書士の兄は、べつにあわてるふうもなく、「脳溢血かな。心臓マヒかな。だとすると死んじゃうかも知れない」などと言って、いっそう母のヒステリーをあおり立てた。

しばらく失神し、名を呼ばれて目を開けると、ヘルメット姿の救急隊員が覗きこんでいた。どうやらまだ死んではいないようだが、隊員のうしろにうりふたつの兄がボーッと立っており、一瞬、すでに幽体離脱しているのかと考えた。

口のきけぬ私にかわり、兄はこれまでの経緯を説明した。酒は一滴も飲んでいない。ついさっきまでピンピンしていたのに、突然こうなった、子供のころから思いがけない行動をするやつなので、この事態もまあこいつらしいと言えばそれまでですがね、ハッハッハ。

「なるほど。ひどく疲れているとか、そういうことはないですか」と、救急隊員。

「そう言えば、きのうが大晦日《おおみそか》で、きょうが元日だとか、わけのわからんことを言ってましたけど」

「……きょうが、元日……ご職業は?」

「いちおう、小説家だと主張しています。アサダ・ジロウ、って知ってますか」

「えっ、赤川次郎!」

「いえいえ、浅田。浅田次郎です。知りませんよねえ。あたしらは身内だから知ってるけど」

日ごろ私の愚痴を聞かされている母が、半狂乱で言った。

「この子、ぜんぜん寝てないんです。おにいちゃんはワセダなんですけどね、この子はバカだから寝ずに仕事しないとおっつかないんです。わーッ、こんなことになるんだったら、足を洗わせるんじゃなかった。やっぱりムリだったんだわ、ごめんなさい次郎ちゃん。おかあさんを許してッ!」

こうしてムシの息の私はストレッチャーに乗せられ、宿から担《かつ》ぎ出された。依然として手足は痺れて動かず、口もロクにきけない。

旧宮家の別荘跡に建てられたという宿は、敷地に余裕があるものだからアプローチがバカに広く、救急車は遥かな石畳の上にポツンと止まっていた。

どういうわけか、満天の星の下に私は毛布もかけずにしばらく放置されていた。汗の冷えた浴衣に凩《こがらし》が吹きつける。高級旅館の番頭はたいそう上品であり、救急隊員は妙に落ち着いており、日ごろお役所相手の仕事をしている兄は、さらにおっとりとしていた。凍《こご》える私のかたわらで彼らは、さてどこの病院に行くか、帰りはどうするか、などと悠長な会話を交わす。

そんなことどうだっていいのである。せめて毛布をかけてくれと言いたいのだが言葉にならず、私はただウーウーと唸っていた。帰りの心配までしてくれるのはそりゃ有難いが、こっちはこのまま不帰の客となるかも知らんのである。ああ、人間はたぶんこうして死ぬのだな、と考えた。

ようやく救急車に収容される。

「大丈夫ですかァ?」と、救急隊員。まさかもうダメだとは言えないので、ミエッぱりの私は黙って肯《うなず》いた。つまらんことを聞くな。大丈夫じゃないから救急車を呼んだのだ。

すると人格者の兄がまた言わでものことを代弁した。

「いやいや、こいつは元自衛官ですからね。叩いても死なんのです。いわゆるオニの霍乱みたいなものでしょうかね。脳溢血とか心臓マヒでなけりゃ、たいがい平気ですよ」

「その心配はないと思いますよ。意識はシャンとしてるし」

「ご迷惑をおかけします。帰りはタクシーを呼びますから。あれ、震えてる。寒いんかな」

自衛官だって叩きゃ死ぬのである。やはり人間はこのようにして死ぬのであろうと、私は再び考えた。

やがて救急車は仙石原《せんごくばら》の病院に至り、私は体育会系の感じがする医師と、急性アルコール中毒のエキスパートという感じのする看護婦によって適切な処置を施された。診断によれば、病気というわけではなく、過労による嘔吐と血圧低下、それに伴う精神的パニックで急性の過呼吸症状を起こしたということであった。四時間に及ぶ点滴ののち、私はともかく蘇生した。

気分が次第に良くなって行くにも拘《かかわ》らず一晩中うなり続けていたことには理由がある。点滴で固定された右腕の角度が、モロに四十肩の痛覚にさわっていたのであった。苦しいですかと訊ねられても、この期《ご》に及んでまさか四十肩が痛えとは言えず、私は歯をくいしばって耐えた。

朝方、タクシーを呼んで帰りかけると、入れちがいに同じ救急車がやってきた。先ほどの救急隊員が、グッタリした子供を抱いて駆けこんできた。誠に頭の下がる思いであった。

宿に戻って一眠りすると、昨夜の出来事など夢としか思えぬほどさわやかな気分になった。便利な体である。

帰途、列車の待ち時間に再び湯本の橋に立ち、ハゲ頭を並べて写真を撮った。シャッターを押したあと、老母は寝不足の顔をしみじみと子供らに向けて、「ま、ともかく良く育ったわ」、と言った。

ご迷惑をおかけした皆様に、深く御礼を申し上げる。

力ずくについて

「力ずくで、ということになりましたのを、大変残念に思います」

去る一月二十四日朝の西新宿地下道路強制立ち退き問題について、青島幸男東京都知事はこう語った。

知事の決断と方法を、マスコミはこぞって非難し、ことに軽佻《けいちょう》浮薄なるテレビ局は、権力が弱者を圧殺するがごとき映像ばかりを選んで放送した。

このような報道によって青島知事の人となりと都政とが疑われることを、私はたいへん危《き》惧《ぐ》する。

青島氏は、政党政治の腐敗に業を煮やした都民が、ひとりひとりの意思によって選出した、初めての都知事である。当然、そのリベラリズムは政治家中の白眉であり、都政に取り組む視線は庶民の目の高さに応じて低く、人格は清廉にして高潔である。混迷をきわめる政局の中で、このように立派な知事を戴くことができた都民は幸福だと思う。

徹底した平和主義者である知事が、あえて「力ずくで」という不穏な言葉を使った真意を、マスコミはなぜ汲《く》むことができぬのであろうか。「力ずく」とは、氏の最も忌避すべき言葉であり、おそらくは氏自身、口にするだにおぞましい言葉であるにちがいない。それを公式の会見においてあえて使用したのはつまり、「ホームレスの皆さんの生活を侵害するつもりは毛頭ない。差別も偏見もない。熟慮の末、公共の利益のために万已《ばんや》むをえず、力ずくで――」、という意味なのである。

都民の血税を使って臨時保護施設を作り、衣服や食事のほか一日一箱の煙草まで支給し、健康診断はする、就職の相談にも応じる。ここまでの条件を整えてなお、寒風吹きすさぶ地下道の方が良いと言い張る人々を万已むをえず力ずくの排除をしたことは、決して青島都政のリベラリズムに背《そむ》きはしない。

公共の誌面で言うことではなかろうが、はっきり言って私はホームレスの人々が嫌いである。生理的にどうだとか、差別感情があるとかではない。同じ人間として男として、その生き方が嫌いなのである。

自慢じゃないが私は相当なマイノリティの出身で、学歴もなければ人に言える職歴もない。貧乏歴なら人後に落ちぬ。

赤ん坊と身体障害者の老人を抱えて、一文なしで路頭を偟《さまよ》っていたころ、中央公園にたむろするホームレスの輪の中に入って、彼らにしか言えぬ愚痴をこぼしたこともある。

　そんなときふと、彼らの浮世ばなれした生活に憧れたこともたしかである。社会人としてのすべての義務を放棄し、自分ひとりの生きる方法を考えれば、幸福は確実に保障されると思った。少くとも泥棒をしたり一家心中をしたりするよりは、賢い選択であろうと考えた。そのとき、私を輪の中から立ち上がらせ、彼らに背を向けさせたものは何であったろう。

　卑怯だ、と思ったのである。

　私がそうして職を探しあぐねている間にも、女房は借金を返すためだけのパートに出ており、老母は不自由な体で赤ん坊の世話をしている。個の幸福を希《のぞ》むことは卑怯だと思った。まさしく敵前逃亡だと思った。

　住み慣れた地下道を追われること、それはホームレスたちにとって切実な問題であろう。だが、その切実さを彼らの存在理由として容認するならば、高い物価と家賃にあえぎ、リストラに日々兢々《きょうきょう》として彼らのかたわらを足早に歩み去るおやじどもは、みな等しく切実なのである。

　人は、もはやこれまでと思えば石に蹴つまずいても死ぬ。死なないように、堕《お》ちないように懸命の努力をすることこそ、人の人たる所以《ゆえん》なのである。少くとも私には、ホームレスの人々が「堕ちないように懸命の努力をしてきた」とは思えない。

　今回の処置につき、青島知事の決断を非道と罵《ののし》った識者から、私はその理由を正しく聞きたい。また、「支援者」なる人々の、彼らを支援するべき合理的な、正当な理由を聞きたい。思うに、彼らこそホームレスの人々を、自分とはちがう異種として侮《あなど》っているのではなかろうか。自分らもまかりまちがえばホームレスに身を堕とすのだと、そんなふうには考えたこともないから、彼らに同情をし、彼らに施しをするのではないだろうか。

私はそうは思わない。長い貧乏の中で、人はどうすれば死んでしまうのか、どうやって罪を犯し、どのように家を捨てるか、私なりに知っているつもりである。私はホームレスの人々が、周辺の同情と施しとによってさらなる堕落をすることを怖れる。人間は健康でさえあれば、いついかなる環境からでも立ち上がることができる。そしてその闘志を奪うものはいつも、周囲の中途半端な同情と、偏見に満ちた「施し」なのである。

朝日新聞一月二十四日付夕刊に、興味深いアンケートが掲載されている。今回「力の解決」を受けたホームレス十名の、「なぜここにいるのか」という質問に対する回答である。

「外より暖かいし、上野なんかに比べてガラの悪い人が少ない」(64歳)

「仕事をやめてから大久保のサウナにいた。金がなくなり、近いからここに来た」(59歳)

「何をしても人にとやかく言われないし、プライバシーが守れるから」(59歳)

「ハトのフンは落ちてくるし、いい所ではないが、暴力団が来ないのがいい」(51歳)

「いたくているわけではない。ここにいるとボケるのか、仕事が面倒になる」(70歳)

「何をやろうがほっておいてくれる。それがいい」(42歳)

「さし入れしてくれたりして、何もなくても何とかやっていける」(58歳)
「ほかに行く所がないから。いいところは雨露をしのげることぐらい」(55歳)
「金があったら酒飲ませたり、困った時は助け合ったりする近所付き合いがある」(36歳)
「安全で無難だから」(73歳)

——こういう人生について、ほのかな憧れを感ずるのはひとり私ばかりではあるまい。要するに彼らは、それぞれの世代の男たちが日々格闘している人間関係のしがらみから、手っとり早くまぬがれているのである。男の苦悩のすべてともいうべき義務を、まっさきに放棄しているのである。

ちなみに、これだけの声を取材しながら社会面の大見出しに、「新宿の〝我が家〟消えた」「ホームレスに力の解決」と大書する朝日新聞の良識を私は疑う。おそらく、声は聞いてもそれを正しく解析する能力を持たぬのであろう。ここにもまた、ちがう階層《カースト》からホームレスを見くだす、無責任な施しの目を感ずる。

青島都知事は、できうることなら自ら地下道に赴き、彼らがそこにいなければならない理由を聞きたかったであろうと思う。

そしておそらく、「力ずくで」ホームレスを排除せざるを得なかった今回の決断には、あの都市博中止のときにまさるほどの勇気を、人知れず必要としたのではないかと思う。

臨時保護施設に収容された人々の中には、とりたてて医療措置を必要とする人はいなかったそうだ。

いま施設の一室で、あるいは別の地下道で本稿を読んでいるホームレスの人々に、私は伝えたいと思う。

人は、もはやこれまでと思えば石に蹴つまずいても死ぬ。自分の力で踏みこたえていなければ、どこまでも堕ちて行く。死なぬように堕ちぬように懸命の努力をすることこそ、人の人たる所以なのである。他人の力のみで開ける人生など、何ひとつないのである。

どうか一年前、無理無体に家族を奪われ、家を焼かれた神戸の人たちのことを思い返して欲しい。

人間は健康でさえあれば、いついかなる環境からでも、必ず立ち上がることができる。いかに公平さを欠いた世の中であろうと、少くとも神は、人間にそれだけの勇気と力とを、等しく与えているはずなのである。

方言について

ほぼ一年の間、薪《たきぎ》に臥《ふ》し胆《きも》を嘗《な》めつつ精進した結果（要するに競馬予想をしたり週刊誌のエッセイを書いたりして何とか食いつないだ結果）、本年は怒濤のごとく小説が刊行されることになった。

多くの読者には誠に信じ難い話であろうが、私は競馬予想家でもエッセイストでもなく、実は小説家だったのである。

一月末に光文社から『きんぴか』という変なタイトルの、弁当箱状の小説が出た。続いて二月上旬、徳間書店発行の季刊文芸誌「小説工房」に、「天切り松　闇がたり」と題する長篇が一挙掲載される。以降、年内につごう五冊の単行本が上梓される予定である。

ＣＭはさておき、この二篇を執筆するにあたってたいそう苦慮した「方言」について、今回は書いてみたいと思う。

前者『きんぴか』には、東京弁、関西弁、北海道弁、鹿児島弁と、四種の方言が駆使される。東京弁は自前であり、関西弁はかつてしばらく潜伏しておったので問題はなかった。北海道弁と鹿児島弁はかなりいいかげんだが、小説そのものがコメディなので、むしろデフォルメし、戯画化するという方法を採った。この手の小説のコツは、「読者がアタマにくる寸前で笑わせてしまう」ということであるから、おそらく北海道の読者も鹿児島の読者も、ムチャクチャな方言を笑って許して下さると思う。

ところが、一方の「天切り松　闇がたり」という小説は厄介だった。

「天切り松」と呼ばれた稀代《きたい》の怪盗が、大正の初めから今日まで七十何年にも及ぶ盗ッ人稼業のエピソードを、留置場の中で語り出すという、ブッちぎりの悪漢小説《ピカレスク》である。

主人公は絵に描いたような江戸っ子で、しかも「語り物」の形をとっているから、全篇これまさに古き良き東京方言の連続。もちろんシリアスな小説であるから笑ってごまかすわけにはいかない。

内心、(てめえが日ごろ使っている言葉なら良かろうがい)と、安易に書き始めたのであるが、筆の進むほどに自分の中から東京弁の失われてしまっていることに気付いた。しばしば亡き祖父母や父の口調を思い起こし、(こんなときババアは何て言ったっけ)と考えながら書き続けねばならなかった。

何とか自分の胸に喚起させようと、しばしば幼なじみと会って話したりしたが、同世代の口からも幼時に慣れ親しんだ言葉はほとんど失われていた。知らぬうちに、私たちの方言は滅びていたのである。

全国の読者にはたいへん意外なことであろうが、本来の東京弁は極めて土俗的な方言である。巷間言われるところの、「ひとしの区別がつかない」とか、「ラ行の巻き舌」とかいう単純なものではない。たとえば「ひ」と「し」にしても、「し」を「ひ」と発音することはなく、「ひ」が「し」に変わり、しかも場合によっては、その「し」も消えて促音化する。つまり、「朝日新聞」は「あさししんぶん」とは言わず、「あさっしんぶん」なのである。

またあらゆる方言のうち最も特徴的な第一人称「私」について言えば、東京人のステータス・シンボルのように思われている「僕」という言い方は近代の造語、すなわち「山の手言葉」であって元来の東京弁ではない。今でこそ誰もが抵抗なく多用するが、私が子供の頃は「僕ね」なんて言おうものならたちまち仲間はずれにされたものだ。正しくは「俺」、さらに一般的には「おれっち」「おれら」である。

後二者は「俺達」「俺等」の意であるが、なぜか原東京人は個人についてもこれを使用する。すなわち、「僕ね」は「俺ァ」と言うべきであり、さらに垢抜けした東京弁となれば「おれっち」に拗音と長音を組み合せた「おれっちゃー」となる。

待てよ。「僕ね」の訳語としてはそれでもまだ不完全だ。これに東京弁の特徴である終助詞をつけ、かつ長音化すればよろしい。「おれっちゃーよー」。これでよい。

では、二人称の「あなた」は何となるか。この場合も「君」は口にしたとたんに失笑を買う山の手言葉である。「おまえ」は女言葉で、一般には「おめー」が正しい。一人称の用法と同様、「おめーっちゃーよー」という言い回しももちろんある。

ただし、東京弁は総じて語尾をキッチリと締めるので、「おめー」というより「おめい」というような気持で発音した方がきれいかもしれない。「おめいっちゃあよう」、である。

このあたりも、あまり締めすぎると落語的になり、長音のましゃべると暴走族になるから難しい。

落語的、と表現したのには理由がある。私の考えでは、落語は必ずしも正確な東京弁ではない。いわば、地方出身者にもわかりやすいように巧みな変換を施した東京弁であろう。完全な方言があれほど大衆にわかりやすいはずはない。

ならばむしろ歌舞伎のセリフの方が正確であろうと思う。たとえば黙阿弥《もくあみ》の世話物などは、ほとんどの観客には場内イヤホーンを通してしか意味がわかるまい。あれは古典なのではなく、方言なのである。だから、祖父母や亡父がそっくり同じ言葉を使っていた私には、テレビの時代劇を見るのと同じようにすんなりと聴きとることができる。

「おめいっちゃあよう、よしんばきのうきょう箱根の山を越えたもんにせえ、こたあ道理だ、了簡《りょうけん》なせえ」

などというセリフは、耳で聞けば全く意味不明だから、落語にもテレビドラマにも有りえ

ない。翻訳すると、

「君たちはたとえ最近上京したにしろ、これは当たり前のことなんだからわかって下さい」

という意味になる。シチュエーションからすると、関西人に物の値段を値切られた店主が、江戸前の厭味をこめて拒否する、というところか。

まさに外国語の感があろうが、現実に明治三十年生れの私の祖父は、こういう言葉を日常しゃべっていた。

ちなみに、今や完全な死語となった「了簡」という言葉は、「考え」とか「理解」とか「許諾」とか「辛抱」とかいう複雑なニュアンスを持っていて、「了簡する」と動詞化すれば、「よく考える」「理解する」「許す」「納得する」「ひきさがる」、などというさまざまの意味になった。歌舞伎にもしばしば使われ、祖父母もよく口にした言葉である。要するに喧嘩をすれば「了簡なさい」というわけで、こういう言葉が死語となったのは、いかに東京人の性格も丸くなったかということの証明であろう。

――と、このように失われたわれらの言葉を記憶の底から喚起しながら、私は「天切り松闇がたり」を書いた。

原稿に腐心しながら、しばしば悲しい気分になった。方言は地方文化そのものであり、歴史であり、誇りである。日本中どこへ行っても、美しい方言は正しく継承されている。だのに東京ばかりが、あの粋で洗練された父祖の言葉を、すっかり失ってしまった。

理由は、住民が急激に代謝され、まじりあったせいばかりではない。高度成長の時代に東京弁は下品な言葉であるとされ、故意に排斥されたのである。

小学生のころ、「ねさよ運動」という妙な教育が行われ、東京弁の特徴である「ね」「さ」「よ」の終助詞を使ってはいけないと言われた。誰が言い出したことかは知らんが、ひどい教育もあったものだと思う。

長じて言葉でメシを食う職業についた。文章はきちんと書こうと心がけているが、日常会話をことさら改めようとは思わない。小説家の癖に下品な物言いをすると言われてもいっこうに構わない。

「天切り松　闇がたり」の中で、私はできうる限り、滅びてしまった故郷の言葉を甦らせようと試みた。四百枚のしまいのころには、ほとんど祈る気持ちであった。

私の祖母は若い時分、深川で左褄《ひだりづま》をとった粋な人であった。いわゆる「辰巳の鉄火芸者」である。筆を擱《お》いたとき、祖母の声が耳の奥に聴こえた。

「おまい、こんなんじゃあ誰も了簡しやしないよ。ちゃんと書きない」

江戸っ子読者からの感想を、心よりお待ちする。

寓話について

日本中がうたかたのごとく浮かれ騒いだ悪い時代のツケが、いよいよ本格的に回ってきたようである。

毎週のように住専処理問題について書かねばならぬと思いつつ、なかなか筆をおろせずにきた。

躊躇《ちゅうちょ》するのには理由がある。問題の発端となったあのころ、私はたいそうクスブッており、財テクも投機も全く他人事だったのである。

だから、実はあのころこんなことが行われており、そのツケが今こんな具合にめぐってきたと言われても、ちっとも実感できない。ましてや自分が汗水流してようやく納めた税金が、その穴埋めに使われるのだと言われても、ただただ呆れるばかりで怒る気にもならんのである。

たとえて言うならこんな気がする。

世の中の景気などとはもっぱら関係なく、コツコツと仕事をしていた。朝食は喫茶店のモーニング・サービス、昼は牛丼、夜は小遣を勘定しながらの縄のれん、しかし銀座はわけのわからぬお大尽で溢れ返っていた。

長い苦労がようやく報われ、かつて憧れ続けた銀座のバーに通える身分となった。ところが、不景気にあえぐマダムは言うのである。昔のお客が飲み倒したツケを、あなたが払ってくれませんか、と。いえ払ってくれなきゃ困ります、払いなさい、と。

話が余りにも一方的で、怒る気にもならんのである。

思えばあのころ、景気の良い話をよそに牛丼を食い続けねばならぬわが身は辛かった。友人たちはこぞって株を買いあさり、土地を購入して家を建て、借金なんてへでもねえと息まいていた。何だか自分ひとりが時代から置きざりにされた感じで、ああこれで勝負はついたんだな、と思った。育ちざかりの子供から、パパ、ミッちゃんちはおうちを建てたの、サッちゃんちはベンツを買ったの、などと言われれば、教え訓《さと》す言葉も思いつかず、しらじらしい「ウサギとカメ」の話などをするほかはなかった。

年を経て高校生となった娘に再び問われた。住専問題というのは要するに、ミッちゃんちのおうちのローンやサッちゃんちのベンツの代金を、パパが払わされるようなものね。ちょっと不公平じゃないのかな、と。

寓話の通用せぬような世の中は悪い。カメはウサギを追い越さねばならないのに、ようやく追いついた場所からウサギを背負って歩き続けねばならないという新しい寓話が、いま生まれようとしているのである。

さる阪神大震災によって、子供らは文明社会の無力さ脆弱《ぜいじゃく》さを知ってしまった。オウム事件において、正義は必ずしも邪悪なるものに勝利しえないということも知ってしまった。このうえ、人間の不断の努力というものが全能ではないのだという酷《ひど》い事実を、次代を担《にな》う子供らに教えることはできない。

しかもまずいことには、阪神大震災は天災であり、オウムはある異常集団による突出的な犯罪であるけれども、住専処理はすべての国民の生活に関与する。不慮の災害に対する心構えとか、ボランティアの精神とか、宗教の正しいあり方とか、死すとも正義を貫く弁護士の存在とか、そういった教育的示唆の何ひとつとして、この問題の中には見出すことができないのである。

親がわが子の素朴な疑問に対して口を噤《つぐ》まねばならないような結末をつけて欲しくはないと切に思う。

ところで、あのころバブルの恩恵に浴した人々は、今どこで何をしているのであろうか。私の目の前を走り去って行ったウサギたちは、どこに消えてしまったのであろう。

都心には不恰好な形の駐車場が残り、意味不明の廃墟となった空ビルは目につくが、当のウサギたちはどこかに姿をくらましてしまった。

もしかしたらあのウサギたちは、みんなカメのぬいぐるみをかぶって生きているのではなかろうかと思う。そして姑息《こそく》にも、自分も被害者のような顔をして、都合よく問題を処理しようとしているのではなかろうか。

結果的にいったい誰が得をし、誰が損をするかという犯罪の図式を考えるとき、私のこの想像はけっこう的を射ていると思うのだが。

私は悪い人生を過ごしてきたせいで、多くの企業や個人における経済的カタストロフを目撃してきた。その経験から言うと、規模の大小こそあれ、今回の住専処理問題はきわめてわかりやすい。中小企業の倒産や個人の破綻とどこもちがわぬ、しごく単純な経緯を踏んで、知れ切った結末に至ったのだと思う。

企業にせよ個人にせよ、その破滅の第一歩は、突発的な、急激な成長にある。繁栄の端緒には必ず何らかの好運が存在し、多くの場合当事者はそれをたまさかの「運」だとは認識しないから、慢心する。すなわち運を力に変えるだけの安全な足場を築こうとはせず、ひたすら手ばかりを伸ばして高みをめざす。

債権者会議に参加して、経営破綻の経緯を帳簿から探って行くと、つぶれるような会社はみな等しく、成長期における貸借のバランスが悪い。調子に乗って分不相応な商いをしたあげく、収拾がつかなくなるのである。戦《いくさ》で言うのなら、堅固な砦を作り、兵を養い馬を肥やして一歩ずつ進むのではなく、時の勢いを実力だと錯誤して一挙に戦線を拡張したあげく、兵力を分散させ兵站《へいたん》線も伸びきって、玉砕してしまうのである。

要するにバブル期の戦というものは、企業にしろ個人にしろ、みなこれであった。

また、戦の常として勝利はさほど実感を持って認識できないが、敗北ははっきりと自覚できる。幸福と不幸の実感のちがいとはそういうものだ。

つまり、成功の感覚はたいてい「これは行けるかもしれないゾ」であるが、失敗は「もうダメだ」なのである。勝利の実感も満足に味わえぬまま劣勢に立った者は、すなわちヤケクソになる。企業であれば「集団ヒステリー状態」に陥る。

今回の処理問題で誰もが眉をひそめる部分、つまり結果の知れ切った追い貸しなどは、こうした「集団ヒステリー・ヤケクソ状態」の中で行われたものであろう。

これはむしろ、企業の生理的行動ではあるが、だからと言ってもちろん許されることではない。自然のなりゆきであるがゆえにそれをあえて制御しきれなかった愚かしさは罪深い。

ところが、ここにひとつの仮定が生ずる。

ごくたまに、世慣れた経営者がいる。一千万の債務ならば、債権者会議はそれぞれの債権の保全をめぐって紛糾し、自分もただではすまぬだろうが、いっそ一億円ならば誰にとっても事が深刻すぎて揉めようもあるまい、と考えるのである。

むしろこれは、うまい倒産の定石なのである。たかだかの資産を処分したところで焼け石に水であるから、債権者中の誰か、すなわち倒産によって最も手痛い被害を蒙《こうむ》る誰かに、そっくり下駄を預けてしまう。半端な借金で一生を棒に振るよりは、周囲が青ざめて声も出ないぐらいに倒産の規模を拡大してしまい、死中に活を得ようという考え方である。

もちろん仮定である。だが、住専各社を手玉にとったバブル紳士たちの華やかな経歴と商いの質を考えるとき、また銀行や官庁からの天下りで構成された各社の脆弱な人事を考えるとき、この怖ろしい仮定は妙に現実味を帯びる。

もし彼らがヤケクソでも集団ヒステリーでもなく、かくあるべしという終局の形を絵図に描いて不当な追い貸しに走ったのであるとしたら、これは前代未聞の壮大な経済犯罪集団であると言う他はあるまい。

いずれにせよ仮定はどうあれ、規模からして民事の範疇《はんちゅう》ではない。当事者たちはもちろん、経過における政治家、監督官庁に至るまで、故意の容疑者として訴追されるべきであろう。

ウサギがカメを笑う寓話など決してあってはならない。住専処理問題には一国の良識がかかっている。

不均衡について

べつに貿易摩擦について論じようというわけではない。今回はしごく個人的な愚痴を言わせていただこうと思う。

かつて私は本稿において、私のハンディキャップであるところの「巨頭」について書いた。常人にはまことに信じ難いことであろうが、私は頭のサイズが六十二センチもあり、よって既製の帽子がないのである。

これから述べる話は、実はこの「巨頭について」と対《つい》をなす。当初は連続して書こうと考えていたのだけれど、続けて読めば余りにインパクトが強く、かつ私を異形の怪物のように誤解せしめるおそれがあるので、しばらく間を置くことにした。「巨頭について」をご記憶の読者は、さぞ面白かろうと思う。

まことに不均衡きわまりない。頭周六十二センチにおよぶ私は、足のサイズが驚くほど矮《わい》小《しょう》なのである。

正確には二十三・五センチ。昔ふうにいうなら九文七分である。ただし、このサイズの既製品は市販されていないので、通常は二十四センチの靴に底敷を入れて使用している。

二十三・五センチの足は、六十二センチの頭と同じぐらい珍しいと思う。だが、二十三・五センチの足も六十二センチの頭も、世の中にいないわけではない。問題は、二十三・五センチの足を持つ男が、六十二センチの頭を持っているという事実だ。

まことに不均衡きわまりない。四十年以上も同じ体と付き合っていれば、そうそう不自由を感ずることもないのだが、たとえば歩行中に靴紐がゆるんで結び直そうとするとき（いつもブカブカの靴をはいているのでしばしば紐がゆるむ）、つい足の小ささと頭のデカさを意識してしまい、重心を失って尻餅をつくことがある。この小さい足で、よくもまあバカでかい頭を支えているものだと気付いたとたん、フワッと体が泳いでしまう。

身長百六十九センチ、体重六十五キロという諸元《しょげん》は、同世代の男子としてはほぼ平均、やや優位と言える。ツラ構えは、多少インテリジェンスには欠けるが、リベラリズムに反するほどではない。性格も巷間噂されるほど悪くはないと思う。

かように平均的な、そして自ら突出することを嫌う私に、神はなぜ六十二センチの巨頭と二十三・五センチの矮足《わいそく》を与えたのであろうか。

どっちか片方ならばシャレで済むのである。さしたるコンプレックスを感ずることもないのである。しかし、並外れた矮足で巨頭を支えている現実を意識すると、ふいに薄氷を踏むような、綱渡りをするような、竹馬に乗っているような不安感に襲われる。

巨頭も矮足も異常ではないが、その両方を具有しているという不均衡は長く私のコンプレックスであった。ために親しく交際した女性などに対しても、つとめて「頭かくして足かくさず」または「足をかくして頭かくさず」をモットーとしてきた。幸いなことに、矮足などというものはよほどジックリ観察しなければバレることはない。巨頭も決して「巨顔」ではなく、前後に長い「長頭」(すなわちツタンカーメン型)であるので、さして目立つわけではない。

秘密が露見したのは、去ること四半世紀前、自衛隊入隊の折であった。

以前にも書いたように、制帽、作業帽、ヘルメットともにふさわしいサイズがなく、班長と補給係陸曹が軍規を犯して私の頭に合うようそれぞれを改造してくれた。

その規格外の巨頭新隊員の靴が、あろうことか規格外の二十三・五センチだったのである。これが笑わずにおられようか。

入隊に際しては、一般にワンサイズ大きめの被服類が支給される。新隊員教育期間に、カリキュラムに従った筋肉が付くので、半年後にはちょうど良くなるからである。しかし、まさか足の裏までデカくなるということは考えられない。ましてや靴は兵隊の命そのものなのである。

当時、官品靴の規格は二十四センチが最小であった。制服用の短靴と運動靴はまあいいとして、戦闘訓練や行軍に使用する半長靴《はんちょうか》はどうしてもピッタリのサイズでなければまずい。で、こればかりはさすがの補給係陸曹も改造する技術はなく、やむをえず爪先に脱脂綿を詰めるということで妥協するほかはなかった。

結果は悲惨であった。まず両足の爪がすべて「巻き爪」になり、紫色に変色してしまった。近ごろではあまり経験する方はいないであろうが、「巻き爪」というのはつまり、爪が内側に巻いて肉に食いこんでしまう状態である。たいそう痛い。

さらに、行軍の後には両方の踵《かかと》に巨大なマメができてしまった。マメというより、踵全体の水ぶくれである。皮膚が硬いので針でつついたぐらいでは破れず、カミソリで切ると袋を破裂させたように水が出た。

以後二年間、私は文字通り摩頂放踵《まちょうほうしょう》して（頭も踵もすりへらすほど努力をするの意）お国のために尽くさねばならなかったのであった。

ところで、困ったことに今日では若者の体格が大きくなったせいか、私が妥協しなければならない二十四センチの靴さえ数が少なくなってしまった。デパートのSサイズコーナーに行くと、黒の短靴に限ってはあるのだが、たいていは情けなくなるような古くさいデザインである。要するに今どき二十四センチの靴をはくのは、相応のご老人であると決めてかかっているらしい。舶来の高級靴などにはまずこのサイズはない。

したがってけっこうシャレ者である私は、二十四・五センチの靴に底敷を入れ、それでもペタペタと踵を音立てて歩かねばならない。おっさん靴をはくよりはマシなのでそうするのであるが、とても疲れる。

さらに不自由なのは、当節流行のウォーキング・シューズやトレーニング・シューズの類いである。

私は自衛隊経験者特有の「健康病」であるので、年甲斐もない運動を好むのだが、二十四センチの運動靴というものがない。また、職業上取材のためにあちこち歩き回るのであるが、これにしても二十四・五センチのウォーキング・シューズを使用しなければならないのである。

折良く頭もハゲてしまった。かくて私の涙ぐましい摩頂放踵の努力は、今日も続いている。

ふと思うに、ご年配の方の中には近ごろ靴のサイズがないとお嘆きの向きが多いのではなかろうか。私の同世代に二十三・五センチの足は少いにしろ、昔はさして珍しいサイズではなかったであろう。だとすると、物のたとえではなくまことに摩頂放踵してお国のために尽くされてきたご老人たちが、あろうことか今日に至ってはく靴を持たないということになる。

これは由々しきことである。いくたの艱難険阻《かんなんけんそ》を踏破し、戦場を駆けめぐり、焼跡を踏みしめたご老人が、昔日夢《せきじつ》のごとき銀座の店頭に立って、はくべき靴を探しあぐねる姿を想像すると胸が痛む。真の福祉社会は、企業が営利を離れてこそ初めて実現できるものではなかろうかと、矮足の私はしみじみ思うのである。

笑い話の続きで不謹慎ではあるが、この原稿を書いている前日、司馬遼太郎先生が亡くなられた。中学生のころ『国盗り物語』に心を躍らせて以来のファンである。いつかどこかでお声をかけていただく光栄を夢見ながら、とうとうお顔を拝見する機会すら得られなかった。

悲しみも喪失感もさることながら、後進のひとりとして足下に礼を尽くす機会さえ得られなかったのは、まこと慙愧《ざんき》に堪《た》えない。要するに、四十四歳の齢《よわい》を経てもなお、生前の先生にお会いできるだけの努力を私は怠っていたのだと思う。

初めて知ったのだが、先生の筆名は「司馬遷に遼《はる》か及ばず」の意であるという。しかしその偉大な業績に思いをいたせば、「司馬遼に遼か及ばず」とうなだれるほかに、お悔みの言葉すら思いつかぬ。

頭がデカいの足が小さいのと、つまらぬことを言っている場合ではないのだが。

京都について

仕事が一段落し、体調も旧に復したので取材の旅に出た。京都蹴上《けあげ》にあるホテルの一室で、雪を頂いた比叡山を眺めながらこの原稿を書いている。

それにしても、京都という町はどうしてこれほどまで人の心を和ませるのであろうか。遥かなる時空の掌《てのひら》の上に、ぼんやりと座っている自分を感ずる。この町に住みついたなら、きっといい小説が書けるだろうと思う。

F社の月刊誌にようやく連載開始のはこびとなった長篇小説の取材である。注文を受けたのはたしか三年ぐらい前のことであるから、考えてみれば私の口から「ようやく」などと言うのは、ずいぶん勝手な話ではある。

どんな商売だって、発注後三年も音沙汰なければケンカになるであろう。少くとも三年たってから、「ようやく始めます」「ではよろしく」、などという悠長な仕事があるはずはないと思う。だが、私たちの業界に限っては、べつだん珍しい話ではない。もっとも、そうしたさなかにも出版社は連日のように誰かしらの小説を刊行し続け、短篇や連載のぎっしり詰まった小説誌を発行し続けているのだから、いったいどういう段取りになっているのか、編集者の手帳の中味をいっぺん覗いてみたい気がする。

まことに勝手ではあるが、「ようやく始めます」「ではよろしく」ということに相成った。つらつら思うに、三年も平気で待たせ、また三年も待ったという仕事はおそろしい。にも拘らず、気付いてみれば締切まであと一週間という事実はもっとおそろしい。

さて、小説の舞台となる京都は、私にとって思い出深い町である。去ること十数年前、決して作家ではなく度胸千両の身の上であった私は、ひょんなことから江戸を売って京都市内に潜伏していたのであった。そう思えば、もしかしたら私がこの町に感ずる、「遥かなる時空の掌の上に、ぼんやりと座っている」ような安息感は、そうした往時の記憶によるものかもしれない。

まあ詳しい話は今後の人生に支障をきたすといけないのでやめておこう。

ともあれ、往年のハードボイルドなど嘘のように、すっかり柔和なおっさんに変貌した私は、「のぞみ」の速度におそれおののきながら京都の駅頭に立った。

蹴上のホテルにタクシーをとばし、ついつい昔のクセでロビーに屯《たむ》ろする人々の顔にキョロキョロと気を配りながらのチェック・イン。伝統と格式を誇るホテルは、目を疑うほどの近代的な内装に生まれ変わっていた。東山のふところに抱かれたたたずまいはまったく昔のままであったので、内部のリニューアルがちと悲しい。

取材に許された時間は二日間である。なにしろ三年待たせた上で、締切まで一週間なのだからノンビリ一服というわけにはいかない。で、荷物だけをフロントに放り出して市中に出た。

めざすは京都大学のキャンパスである。業界では「極道作家」と目され、エッセイのタイトルにも「ピカレスク・ノベルの新鋭」なんぞと書かれる私が、ナゼ京都大学に取材に行くのだと怪しむ向きもおられようが、そんなことは大きなお世話である。

ただしこれだけは言っておく。京都大学出身の経済ヤクザを書こうなんて、安易な発想はない。

当然のことながら京都大学に知り合いはいない。取材といっても偉い先生にアカデミックなお話を伺うなどということであろうはずはなく、要するに校舎の配置とか樹木の種類とか、学食のメニューとか学生の顔つきなんかを観察したいのである。

「ごくろうさま」とか言って正門から入ると、守衛さんはべつに咎《とが》めだてするというふうもなく会釈を返してくれた。私は生れつき臆面というものを知らない。「ごくろうさま」の一言と満面の笑顔であらゆるチェック・ポイントを通過するのは私の特技である。ここだけの話だが、投宿中のホテルのパーティ会場などではしばしばこれをやり、難なくタダメシを食うこともある。

一時間ほどキャンパスをうろついた。大学教授には見えないにしろ、出入の業者かドロップ・アウトしたOBぐらいには見えるらしく、べつだん怪しまれることはなかった。

地下の学食でメシを食っていたら、突然便意を催し、あわてて構内から出た。ナゼあわてたかというと、メシを食ったうえにクソまでしたのでは申しわけないと、変なところが律義者の私はとっさに考えたのである。

話が久方ぶりに尾籠《びろう》となるがお許し願いたい。実のところ便意は、新幹線の中から感じていたのである。しかし切羽つまるというほどではなく、ホテルに入ってからゆっくりと、という程度であった。それが、フロントでチェック・インしたとたん取材の予定がクソの予定に先んじてしまい、気がつけば京都大学の学食でランチを食っていたというわけである。

とりあえず正門から飛び出してみたは良いものの、右も左もわからない。まさか通りすがりの京大生にクソがしたいとは言えず、私はひたすら左方向に歩き出した。後にして思えば、右方向に歩けばすぐに東大路であるから、車を止めるなり喫茶店に入るなりできたのだが、なぜか左に向かってしまった。

本稿をたまたまお読みになっている京大生、もしくは近在の方は私の愚かしさを笑うであろう。そう、京大正門を東にたどれば道はただ、寮歌にも謳われた吉田山の山中に消える。

東京では町なかにそうした深い山があるなどとは考えられんのである。ましてや常緑の森があれば、そこには公衆トイレがあるであろうという予測をする。ところが、吉田山は本物の山であった。

しかもまずいことには吉田神社の神域である。自衛隊出身者の常として、野グソをたれることに抵抗は感じないが、妙に信心深いところがあるので神域を穢《けが》す勇気はない。せめて境内を脱出してから、と歩を早めれば、そろそろここいらでと思うそばから祠《ほこら》やお地蔵様が現れる。全山その調子なのである。数日間、京極夏彦を読み耽《ふけ》っていたのは私にとって不幸であった。もらすのはいやだが、タタリを蒙《こうむ》るのはもっといやだった。

ようやく吉田山を下りおえたと思ったら、真如堂《しんにょどう》の山に迷いこんでしまった。これもひたすらお堂と墓場である。いよいよ深みに嵌《は》まる感じで進めば、金戒光明寺《こんかいこうみょうじ》の裏山に入ってしまった。

そこは黒谷《くろだに》と呼ばれる古刹《こさつ》、かつて会津藩主松平容保《かたもり》が京都守護職の本陣を置いた寺である。ひそかな幕末マニア、新選組オタクである私は、襲いくる便意と感動のはざまに立ちすくんだ。

会津墓地に詣で、鳥羽伏見の戦没者墓碑の前で合掌をしながら、まことに不謹慎ではあるが秘術「木挽《こびき》」を試みた。以前に本稿でも紹介したことがある便意封じの秘法である。背筋をピンと伸ばして蹲踞《そんきょ》し、片方の踵で肛門を強く圧迫しつつ体をあたかも木挽のように前後に揺する。するとあらふしぎ、秘術の効果か神仏の霊験か知らぬが、便意は夢のごとくに去った。

しかし長い経験上、この効用がつかのまであることを私は知っている。たちまち身を翻して石段を駆け下り、丸太町通に至ってタクシーを止めた。案の定、再び便意は募ってきたが、蹴上は目と鼻の先である。ホッと胸を撫でおろす間もなく、私をシーズン・オフの観光客と睨んだドライバーは、黄信号でいちいち止まりながら商魂をあらわにする。

「お寺まいりどしたらお客さん、貸し切りがよろしおすえ。明日はどこどこお回りにならはりますのんか」

それどころではないのである。

「わかった、わかったから急いでくれ」

「おおきに。ほな、明日は何時にお迎えに上りましたらよろしおすやろか」

「そんなことどうでもいいっ！」

と――まあこういう次第で、私はいまトイレから出て、雪を頂いた比叡山を眺めながらこの原稿を書いている。

京都という町はどうしてこれほどまで人の心を和ませるのであろうか。遥かなる時空の掌の上に、ぼんやりと座っている自分を感ずる。

古い自転車について

全国の愛読者の皆様から毎週たくさんのお手紙をいただいている。

返事を書かねばならぬのだが、小説家の筆不精でどうとも手が回りかね、今のところは有難く拝読させていただくのみである。どうか非礼をお許し願いたい。

とりわけ四十肩とハゲの療法についてはさまざまのレクチャーが寄せられ、鋭意実践中である。おかげさまで心なしか肩も軽くなり、お送りいただいた秘伝の発毛剤の効果により、早くもウブ毛が生えてきたような気がする。横着千万であるが、誌面にてお礼を述べさせていただく。

さて、地方在住の方からのお便りが多いようなので、今回はそうした読者の皆様にはまことに信じ難いお話をしよう。

私は現在、都心から電車で約三十分、距離にして五十キロほどの郊外都市に住んでいる。

東京では、この程度の距離に居宅があるというのは、相当に恵まれた部類に属する。したがって郊外とはいえ、住宅はみっしりと建ち並び、道路は四六時中渋滞しており、朝夕の駅頭は通勤者でごったがえす。

こうした地域には、自転車が家庭の必需品である。新築のマンションやアパートは駅から次第に遠ざかって行くので、自転車の数は年を追って増加している。

どの駅にもたいてい「有料駐輪場」なるものがある。近ごろでは三階建てぐらいの巨大な建造物となっており、通勤者たちは一ヵ月千円とか二千円とかの家賃を払って、通勤用の自転車置場とする。

こういう設備があるということは、勝手にそこいらに自転車を止めてはならんのである。道交法違反とまでは言わぬのであろうが、自治体条例か何かがあるとみえて、路上に勝手に止めてある自転車は「放置自転車」と呼ばれ、強制撤去の憂き目に遭う。

どういう手順を踏むかというと、日中まったくアトランダムに、市役所の大型トラックがやってくる。これには数名の、定年退職者とおぼしき屈強なジジイが乗っている。で、駅前にトラックを止めるやいなや、元関東軍将校のような年かさのジジイの指揮のもと、アッという間に放置自転車をいずこかへと拉致してしまう。

自転車はお手軽な乗物である。したがってすべての自転車が使用者の明らかな犯意によってそこに放置されているわけではない。たまたま会社に遅刻しそうなので、やむなく駅頭に自転車を投げ出して通勤快速に飛び乗ったおやじもいる。ちょこっとの間そこに自転車を置いて買物に出かけた主婦もおり、甚《はなは》だしくは銀行で預金機の順番を待っているだけの人も、十メートル先で立ちソバを啜《すす》っている人もいるのである。

しかし、それぞれの自転車の事情を斟酌《しんしゃく》しているわけにはいかないので、とりあえずすべてはトラックの荷台に山積みにされ、ロープをかけられて運び去られてしまう。ジジイたちは極めて手際よくこの作業を行う。

他人の不幸を面白がる悪い性格の私は、つねづねこの撤去作業を興味ぶかく観察していた。これの行われた日には、わざわざ通勤客の帰りつく夕刻に再び駅頭に出かけ、改札を出たとたんにオオッと立ちすくむおやじやOLの顔を盗み見て、ひとり悦に入ったりしたこともある。

先日、駅前のデニーズで某編集者に原稿を渡すことになった。ふつうは書斎まで取りに来てもらうのだが、その日はたまたま坂口安吾状態の散らかりようだったので、掃除をするかこっちから出て行くかと迷った末、デニーズで待ち合わせたのであった。

ところが、あいにくお昼どきで、デニーズは満員であった。編集者は玄関にぼんやりと立って、自転車をこいでやって来た私を迎えた。

いったんは、「安全地帯」であるデニーズの駐車場内に自転車を置いた。たかだかコーヒー一杯のために行列に加わるのも面倒なので、ロータリーを挟んだ喫茶店に行こうということとになった。

一瞬、自転車はどうしたものかと考えた。万一の場合、駅前ロータリーはまっさきに撤去の対象となる。しかしデニーズの駐車場に自転車を置いたままよその店に行くのは、私の正義感が許さなかった。そうかといって、駐車場前の路上はロータリーの一部とみなされよう。そこで私は、撤去も免れ、かつデニーズにも申し開きの立つように、自転車の前輪だけを駐車場の敷地内に入れ、ケツは路上に出すという折衷案を試みた。

私は話好きだ。お忙しいところ相済みません、とか編集者が言うので、いやいや十分や十五分の時間はあるよ、とか言いつつ二時間ほど勝手にしゃべった。

食傷した感じの編集者を改札まで送り、デニーズの駐車場に戻ってみると、自転車は煙のように消えていた。いったいどういう基準を以て私の自転車を「放置自転車」と認定したのかは知らんが、ともかく私の折衷案は鬼の如きジジイどもには通用しなかったのである。

路上にガムテープで、黄色い紙が貼りつけてあった。あなたの自転車はかくかくしかじか、この場所に保管してあるので、向こう一ヵ月以内に身分証明、印鑑、保管料千五百円を持って引きとりに来なさい、と。

私の敗北感、屈辱感は並大抵ではなかった。どうせ十年ちかくも使っているオンボロなのだし、おめおめと頭を垂れて貰い下げに行くぐらいなら、いっそ放棄してしまうか、とも考えた。

だが、十年間苦楽を共にしてきた愛車に別れの言葉のひとつも言えぬのは辛い。まして や、もしかしたら日本赤十字の手を通じて灼熱のアフリカに輸送されるかも知れぬ。自転車は物を言わぬが、思いたどればデビュー前の貧乏な私にとってはかけがえのない財産であった。

幼かった娘を背負って多摩川のサイクリング・ロードを走った思い出とか、ボツになった原稿の束を籠に入れてやみくもにペダルをこいだ記憶とか、パンクをしたまま乗るのが可哀想で、駅から担いできたこととか、雪の日にコケてハンドルを曲げてしまったことなどが切々と思い出された。

で、「糟糠《そうこう》の妻堂より下さず」の自戒の通り、翌日いそいそと指定された保管場所へと向かった。

略図を見てイヤな予感はしていたが、やはりとんでもない場所であった。小田急線の小駅で降り、えんえんとバスに乗る。何とはなく幽玄な感じのする峠のてっぺんに、数百台の自転車を笹立つ波のごとくに並べた大駐輪場があった。ちなみに、裏山は墓場であった。

番小屋に禅僧のごとき二人のジジイが、暇そうに座っていた。いや暇そうなのではなく、暇にちがいない。

役人とか巡査とかであれば、バカヤローのひとつも言うところであるが、私は泣く子とジジイには弱い。そこで、ともかく怒りを鎮め、できるだけ文化人の顔をして小窓を開けた。

おたがい言葉に困るのである。この際やはりバカヤローが適切な挨拶なのであるが、それを言えぬとなると、ごめんなさいも何だし、ごめん下さいもおかしいし、結局「あのー」と私は言った。

ジジイはジジイで、いらっしゃいませでもあるまいし、ごくろうさんも非礼であろうし、説教をたれようものならたちまち喧嘩になることは目に見えているので、「やあー」とか言った。もっとも来意はわかりきっているから、「あのー」「やあー」で良いのである。

冬の夕日が山の端《は》にかかるたそがれどきであった。老いた自転車は主人を待ちわびる仲間たちとともに、広い駐輪場の片隅にうずくまっていた。

そのとき、保育園の砂場で父の迎えを待っていた娘の、小さな後ろ姿を思い出したのはなぜだろう。

ジジイは保母のように微笑みながら、黙って自転車の汚れを拭い、タイヤに空気を入れてくれた。

長い峠道を下る。険しい多摩丘陵を越えて帰らねばならない。四十肩を病む体にはさぞきつかろうが、ともかくもこいつをアフリカに送らずにすんだ。

ダイエットについて

ダイエット・テープなる面妖な痩身術が巷に流行している。

本誌読者の中にはいまだ知らぬ人もいるであろうから、いちおう紹介しておこう。

幅四ミリの布製テープを、手の指にらせん状に巻く。巻き方には詳細な決めごとがあって、体のどこそこの肉を落としたければ、この指とこの指というふうに、完全なマニュアルまで市販されているらしい。

たったそれだけのことで、腹がへこむとか、足が細くなるとか、精密な局所ダイエットが可能だという。

何でも主婦層を中心として爆発的に流行しており、薬局の店頭からは専用スパイラル・テープはもちろん、代用品の絆創膏まで姿を消してしまっているらしい。

古来より健康を害さずに痩せる方法としては、食事制限と運動とが提案されてきたわけであるが、いずれにせよ横着な痩せ方というものはなかった。その点、指にテーピングを施すだけで痩せるというこの術は、効果の如何に拘らず画期的である。

私は職業上、他人のいずまいたたずまいを、ジロジロと注視する癖がある。したがって今日の流行をみるずっと以前から、この術の存在に気付いていた。

初めに発見したのは昨秋、東京競馬場においてである。競馬場の馬券発売窓口には、妙齢のおばさんがあたかも羅漢《らかん》のごとき顔をズラリと並べているわけであるが、あるとき彼女らの中にらせん状の指の持ち主が出現し、しかも日を追って増えて行った。

当初私は、それを彼女らの業務に必要な指先の滑り止めか何かだと考えていた。しかしある日、かかりつけの病院の看護婦が、同じテーピングを施しているのを目撃した。小説家の脳は柔軟性がてんでない。思惟《しい》するのではなく、思いこむ習性がある。で、そのとき私は、気の毒にこの看護婦さんは、週末には競馬場でアルバイトをしているのかと思った。

だからその後、家人の指に同じテーピングを発見したときは、それこそ腰が抜けるほど愕《おどろ》いた。出る本すべて初版ポッキリなのであるから、苦労はわかる。だとしても亭主が毎週欠かさず通っている競馬場で馬券売りはないだろう。

説諭しようとしたところに高校生の娘が帰ってきた。やあお帰りと言う間もなく私は驚愕した。娘の指にもスパイラル・テープが巻かれていたのである。そういえば、近ごろ土日の外出が多い。どこへ行くのだと訊ねても、そんなことパパには関係ないでしょう、とそっけなく答える。

私の思いこみ頭脳は、たちまち府中競馬場の窓口に母娘がむっつりと並んでいる姿を想像し、パニクッた。

おまけに、心臓病で寝たきりの老母の指にも同じテーピングが施されていた。思わずワッと泣き伏そうとしたのだけれど、待てよ、まさかそれはあるまい、と考え直した。そこに至って私はようやく、ダイエット・テープなるものの実体を知ったのであった。

私は好奇心が旺盛なので、話題性のあるものはとりあえず試してみる。そこで、この原稿を書いている今も、私の左右の指には「腹のヘコむ巻き方」と「四十肩の治る巻き方」が厳重に施されているわけであるが、効果のほどはまだわからない。

ただし、原稿とりの編集者が何だかものすごく苦労人の作家を見るような目をするので、才能を疑われると困るからやめようと思っている。

ところで話はぜんぜん変わるが、マライア・キャリーは好い女だ。

グラミー賞を逸したことについては、「なぜだっ」と叫びたくなるが、ともかく溜息の出るほど魅力的な女性である。外国人女性にはまったく興味を感じない私がかくも魅了されるのは、ちと古い話になるがナタリー・ウッド以来のことであると思う。

来日を報ずるニュースにボーッと見とれながら、この魅力のみなもとははたして何であろう、と考えた。

答は簡単、世のおやじどもはみなすべて同様の認識をしておられるものと信ずる。全体的にやや太め、あの腕の太さ、体の丸さがたまらんのである。

おのれの女性に対する美意識の変遷をたどって行くと、年齢とともに太めが好きになるような気がする。決してデブ・フェチというわけではない。デブは御免だが、ファッション・モデルのようなガリガリはもっと御免である。四十四歳の今日、ある程度の肉感性を感じない女性には、まったく興味すら湧かないと言っても過言ではない。

だから、妙齢の女性がなぜかくもダイエットに汲々とするのか、指先にテープを巻き、高価な代金を支払ってエステに通ってまでも、なにゆえさらなる痩身を目ざそうとするのか、私は理解に苦しむのである。

女性は断じて太めがよろしい。思うに、世の女性はことごとく「私はデブ」という強迫観念に捉われているのではなかろうか。私の知る限り、客観的に見て明らかなるデブは決して自らをデブだとは言わず、どう考えてもころあいとしか思えぬ女性に限って、「私はデブだ」と悩んでいるように思える。

そもそも「痩身こそ美徳」と考えるのは、決して美学的な真実ではなく、一種の風潮、もしくは時代の幻想ではなかろうか。この考えを「おやじの趣味」と侮ってはならない。なぜならおやじの視線には知性のかけらもなく、常に動物的本能をもって女性を見るのであるから、「おやじの趣味」はすべからく「美的真実」なのである。

たとえば、今日的常識で言うならばミロのヴィーナス像はまちがいなくデブである。おそらく身長一六〇センチに対して六〇キロ台の肉置《ししお》きであろうと思料される。古代ギリシア人の美意識は人類史上もっともプリミティヴかつリベラルなもので、少くとも現代のエステティシャンたちの美学が彼らを凌駕《りょうが》しているとは思えない。

あるいはわが国美人画の白眉、正倉院御物《ぎょぶつ》の「鳥毛立女屛風《とりげたちおんなびょうぶ》」をご存じであろうか。肉体の線は柔らかな衣に被《おお》われているので明らかではないが、ふくよかな顔立ちから推し量るに、あれはおそらく身長一五〇センチ七〇キロ級のデブであろう。だが少くとも彼女は、唐代の貴婦人の理想であった。

ではいったいいつのころから「痩身こそ美徳」という考え方が生じたのかというと、これはたぶん、思いがけないほど最近のことなのではなかろうか。私は美術史家ではないので自信を持って言うわけではないが、ルノワールの女はみなデブであり、ロートレックは好んでモンマルトルの痩せ女を描いた。どうやらこのあたりから、痩身を美しいものと認識する風潮が生じたように思える。二人の画家にはおよそ二十年の年齢差があるが、おおむねわが国でいう明治期にあたる。そういえば、鏑木清方《かぶらぎきよかた》の描く女はデブ、竹久夢二の美人画はみな病的なほど痩せている。

かくて女たちは、歴史的に言うならほんの一過性の、時代の幻想とも言える風潮のままにさらなる痩身をめざす。一方、動物的本能のままに女性を見るおやじどもは、ナゼ痩せるのだと嘆く。

またいつだったか、私の小説を何本も映画にして下さっている高橋伴明監督から、まことに興味深いお話を聞いた。

インドはたいへん娯楽映画の盛んな国であるが、ヒーローもヒロインも、みなおしなべてデブなのだそうである。つまり、インド人の美意識では、痩身はむしろ醜悪なのであって、画面いっぱいに愛を囁き合い、並みいる観客を陶然と酔わせる美男美女は、みなデブでなければならないのだそうだ。

そう言われてみれば成田の待合室でときおり見かけるインドの貴婦人は、たいてい美しいサリーの下に豊満な肉体を保っている。

ダイエットが悪いことだとは思わないが、公平な美意識を損うような痩せ方はご遠慮ねがいたい、と切に思う。やや太めかな、という感じが、実は最も男性を魅了する体型であることをご婦人方は理解していただきたい。フェミニストを自認するひとりのおやじとして心より熱望する次第である。

それにしても、マライア・キャリーは好い女だ。

含羞《がんしゅう》について

評論家の縄田一男さんが、書評の中で私を「含羞の作家・浅田次郎」と書いておられた。自分のことはあまりよくわからないのだけれども、読みながら穴があったら入りたいような羞《はずか》しい気持ちになったところをみると、どうやらこの言葉は正鵠《せいこく》を射ているらしい。

私は一見して横柄な野郎だが、実はシャイである。

傍若無人たる印象は悪い人生の間に獲得した仮面なのであって、本当は通りすがりの人に見つめられても俯《うつむ》いてしまうぐらいの照れ屋であろうと思う。そういえば若い時分、しばしば愛の告白を口にできぬまま、意中の人を大勢失ってしまった。

もしかしたら、面と向かって愛の告白ができないそんな性格であるから、小説家という仕事を選んだのかもしれない。いや、考えてみれば確かにその通りだ。

ともかく作家というものは、何を言おうが相手の顔を見ずにすむ。相手の視線を気にせずに言いたいことを言える。たとえば一万人の読者を前にして、さあ日ごろ書いていることをしゃべれと言われたら、私はたぶん何ひとつ口にすることができないだろうと思う。

ところで、実は今日の昼間、生まれて初めてサイン会なるものをやった。

企画の段階では全然ピンとこず、これも販売促進の一環であろう、と気楽に構えていた。おりしも前後には怒濤のごとく締切が押し寄せており、なおかつ確定申告の締切を翌日に控えており、ついでに先週八万九千円の大万馬券を的中させてしまったために、そちらの方面からも問い合わせが殺到していた。

つまり、幸か不幸かサイン会なるものの実体を想像するいとまもなく、私は電車の中でもゲラ校正をしながら会場に向かったのであった。

いつもの悪い癖で、現実を簡単に考えすぎていた。サイン会はすなわちサインをする会であるから、私の本を買って下すったお客様に対して「ありがとうございました」と言い、署名をするのだと、何だかものすごく安直に、短絡的に考えていたフシがある。

会場は三省堂本店である。ご存じの通り書物のメッカ神田駿河台下《するがだいした》の交叉点にそそり立つ巨大書店で、その会場についても私は、「小さい店でやるよりは目立たなくてよかろう」などと、安直に考えていた。

近くの喫茶店で版元の担当者と待ち合わせた。相変わらず連載小説のゲラ校正を続けながら、「ちょっと待ってて、あと五分で終わるから」などと言って、フト異変に気付いた。

担当者のうしろに、版元徳間書店の局長とか編集長とか、日ごろはあまりお目にかかれない偉い人がズラリといるではないか。

待てよ。もしかしたらサイン会というのは、私の想像するような安直なものではなく、たいそう大がかりな、はずかしい思いをするものなのではなかろうか——このイヤな予感は的中した。

はたして三省堂本店にうかがうと、たちまち七階の応接室に通された。テーブルの上には徳間書店の出版にかかるわが著書、『プリズンホテル』シリーズ三巻、『地下鉄《メトロ》に乗って』一巻、つごう四巻の上製本が山のごとく積まれているではないか。

通常私の著書は、五十音順に並べられた棚の「赤川次郎」と「伊集院静」の壮大なコレクションの谷間に、ごくひっそりと、一輪の百合の花のごとく咲いている。てめえの本が世の中にまだそんなにあったのかと、あらぬ感動をした。

とりあえずその応接室で、山のごとき書物にサインをした。こんなにサインしちゃっていいのかなあ、というのが口にせぬ実感であった。すでに照れていた。

サインを終えたとたん、色紙を五枚も差し出された。おそろしいことに、揮毫《きごう》である。

私はあわてふためき、「勇気凜凜」とか「一攫千金」とか「直線一気」とか、わけのわからんことを書いた。

これで無事終わった、と思った。ところが冷汗を拭う間もなく「ではそろそろ会場の方へ」と言われ、スッと気が遠くなった。要するに私がサイン会そのものだと思っていた応接間は、実はほんのプロローグだったのである。

思考停止の私を乗せて、エレベーターは階下へと降りて行った。途中のフロアで止まれと念じたが、扉が開いたのは午後のお客様でごった返す一階であった。

あろうことか正面玄関のどまんなかに椅子とテーブルが置かれている。誰が座るのか知らんが背中には金屏風《きんびょうぶ》が立ててあり、早くもフラッシュなんぞが焚《た》かれ、店員さんがマイクで整列を呼びかけたりしているのである。

私が含羞のために失神、もしくは失禁しそうであったのは言うまでもない。そんな私を追い討つように、店内放送が私の名を連呼する。

〈ご来店中のお客様に、サイン会のお知らせをいたします。ただいま正面玄関において……〉

やめてくれ、と私は切に希《ねが》った。

〈――プリズンホテルシリーズで有名な……〉

有名じゃない。

〈――昨年度吉川英治文学新人賞……〉

新人だけど、四十肩だ。

〈――浅田次郎先生のサイン会を……〉

先生じゃない。さんと言ってくれ。

金屏風を背にして椅子に座ったとたん、私の含羞は極限に達した。

顔面は少年のごとく紅潮し、額というより頭全体から淋漓《りんり》たる汗がほとばしり出た。いっそこのまま玄関から遁走《とんそう》しちまうかとも企てたが、あとさきのことを考えて思いとどまった。

一瞬呼吸が荒くなり、へたをするとかの箱根山事件（過労性過呼吸症のため箱根の旅館から救急車で運ばれたといういまわしい出来事。既述）の二の舞かと思った。

照れるな、落ちつけ、と自らを励ますそばから、どこで聞いたか知らんが関係各社の編集者がゾロゾロとやってきて、祝福の言葉をかけたり、花束を贈呈したりするのであった。

ちなみに顔ぶれはというと、K社のO氏（受注三年前・現状ゲラ遅滞中）、S社のC女史（二年前に受注後、仕事もせず酒食に招かれることしばしば・締切ついに来週）、F社のH女史（受注二年前・やっとこさ連載開始にこぎつけたが第一回目のゲラ紛失、パニック中）、A新聞社のO氏（いつだか忘れたけど歴史的過去に受注・ときどき夢枕に立つ人）――という方々であった。

含羞とともにさらなるプレッシャーがかかったのは言うまでもない。

まことに信じ難いことだが、「整理券」を配布された行列は三階までつながっているという。私はめぐり来る読者の顔をなるたけ見ず、ただひたすら己れの名を書き続けた。

含羞どころではなかった。羞しくて羞しくて、死んでしまいたい気分であった。

お客様はわが著書を買い、行列をし、金屏風の前の私とさし向かいに座る。ああこの人はすでに私の本を何冊も読んでいるのであろうか。もしかしたら週刊現代も読んでいて、「箱根山事件」とか「京都大学フン詰まり事件」とか「東京湾フェリー立ちゲロ事件」とかも知っており、しみじみと私の六十二センチの禿頭や二十三・五センチの小足を鑑賞しているのではないかと思うと、顔を上げることすらできなかった。

ともかく早く終わらせたい一心で、私は疾駆する馬のごとくサインを続けた。しかし当然のことながら、お客様は著者の含羞など少しも理解してはくれない。サインを終えて本を手渡すとき、みなさん必ずジイッと私の顔を見つめるのであった。

そのうち、ひとつの声が私の耳に届いた。

「がんばって下さい。応援してますから」

ふと指先が止まった。見上げれば誠実そうな若者であった。

私はようやく思い至ったのである。含羞などと言っている場合ではない。この人たちはみな私の小説を読み、かつ購《あがな》い、さらなる次回作を期待しているのだ、と。

少くとも、喝采に対して胸を張れない男は卑怯者である。初めてのサイン会で、私はそのことを知った。

快挙について

うれしいっ！

あんまりうれしいので、発表媒体の公共性も社会性もクソも無視して、今回はこの個人的快挙について書いてしまう。

一回中山五日目第十一レース・マーチステークスで飛び出した、馬番連勝配当8万8960円の大万馬券を、モロに取ってしまったのである。

確定申告の恐怖もさめやらぬ昨今、いくら取ったかは言わない。「申告の手引き」によれば馬券収入も一時所得に含まれるということであるから、言いたいけど言わない。ともかく「モロに取った」のである。

ちなみに、8万8960円の配当とは、百円に対するもので、要するに買った金額の889・6倍の払戻しを受け取ることができる。

ということは、仮に私が千円の馬券を買っていたとすると、配当は88万9600円である。二千円ならば177万9200円である。五千円だとすると444万8000円で、一万円ならば889万6000円、ということになる。

私がいくら取ったかというと――ううっ、言いたいけどやっぱり言えない。とりあえず正解は上記文中にある。

これが快挙でなくて何であろう。完全無印のアミサイクロン号が中山の千八百メートルを一気に遁走した時間はわずか一分五十三秒であり、私がまじめに小説を書いて同様の収入を得るためには最低数ヵ月、へたすりゃ一年以上かかることを考えれば、少くとも個人的には狂喜乱舞するほどの快挙である。

ところで、善良なる本誌読者にとってはたいへん意外なことであろうが、私は小説で飯が食えるようになる以前、競馬記事とか予想行為とかで生計をたてていた。馬券歴はすでに三十年に近い。

したがっていまだに競馬場に行くと、旧知の業界人からは、「浅田さん、小説なんかも書くんだって？」などと、真顔で訊ねられる。競馬関係者はまことに忙しいので、ほとんど小説を読む人がいないから、当然のごとくそう認識されている。

一方、出版関係者もまことに忙しいので、ほとんど競馬をやる人がいない。だからしばしば、「浅田さん、競馬なんかやってる場合じゃないでしょうが」、と諫《いさ》められる。

現在もともに糧道である。バランスは次第に均衡を失いつつあるが、たとえばJRがいまだ貨物業務を続けている程度に、競馬関係の仕事も多い。

都合の良いことには、各関係者に相互の接点がないのと同じ理屈で、双方共通のファンというものもまずいない。競馬業界人としての私と作家の私は全く別人格であるから、混同してもらってはむしろ困るのである。

作家が競馬の予想をするというのは、たとえば通勤ラッシュのホームを貨物列車が通過するほどの危険があり、競馬人が小説を書くということは、山手線の貨物路線を成田エクスプレスが走っているような、一種の猥褻感がある。

私の競馬指南書はすでに絶版状態であるが、にも拘らず先日のサイン会にはこれを聖書のように持参してくるファンの方が何人もいた。セッセと小説にサインをしながら、いきなりボロボロの指南書を差し出されたときは、ギョッとした。予期せぬ貨物列車の通過に肝を冷やした気分であった。しかも彼らは、あわてる私にきっかりと目を据《す》えて言うのである。

「皐月《さつき》賞はどの馬が?」、と。

成り行きまかせの人生とはいえ、ペンネームを使い分けなかったことは、今さら後悔しても始まるまい。

「競馬はロマンである」という言葉がある。これがもし真実であるとするなら、小説家と競馬とは不可分の関係にある、ということになるが、現実はそれほど甘くはない。故・寺山修司さんは、競馬予想とロマンとを融合させることのできた稀有《けう》の作家であるが、あいにく寺山さんの愛読者でなおかつ馬券もうまいという人に、私はついぞ会ったためしがない。

要するに、JRAが何と言おうが競馬はギャンブル以外の何物でもないのであって、競馬場とはテラ銭を差し引かれた残りの配当を、血みどろで奪い合う鉄火場なのである。

だから当然、競馬をまじめにやっている私と、甘い恋物語なんぞを書いている私とは、完全なる別人格であると言える。

さて、私は近ごろ、著名な文芸評論家の某氏と毎週のように競馬を観戦している。

氏は同時に、著名な競馬評論家でもあるのだが、さきに述べた文筆業と競馬業との微妙な相関にいち早く気付いておられたらしく、徹頭徹尾の別人格者としてペンネームも使い分けておられる。おそらく同一人物であると知っている人は少いであろう。

私はかつて、氏とは同じ媒体の予想欄を担当していたので、その事実は知っていた。

複雑な関係である。私は競馬予想をしながら小説を発表し、氏は同様に競馬予想をしながら私の小説の書評を書いている。

ということは、いざ競馬場で席を並べると、いったいどういうスタンスで会話を交わしてよいものやらとまどう。なにせおたがい二重人格者なのである。

当然の儀礼として、たとえば新聞紙上に立派な書評を掲載していただいた翌日には、お世話様でしたの一言も言わねばならぬのであろうが、考えてみればものすごく無礼な気もする。おそらくあちらは、もっと面映《おもは》ゆい気持ちであろうと察せられる。

だったら何も仲良く観戦しなくても良さそうなものであるが、妙にウマが合ってしまい、何度かご一緒するうちに、早朝から指定席の列にしゃがみこむというい けない関係になってしまった。

競馬場での二人は、もちろん完全なる競馬オヤジである。太いの太くねえの、ヤリだのヤラズだの、やれ時計がどうの上がりがどうのと意見を交わし合い、コーヒーを啜《すす》り弁当を食い、ホーム・ストレッチの叩き合いに際しては「そっのままァー!」などと奇声を揃える。

服装はといえば、これもおたがいひとめで競馬オヤジとわかる身なりである。パドックの寒風に耐えうる防寒コートを着、双眼鏡を首から下げ、耳には赤ペンを挟んでいる。

そういう関係がしばらく続くうちに、作家と文芸評論家という相互の認識は消えた。

ところがそんなある日、氏の主催にかかるパーティに招かれた。招待状の返送に際しては、一瞬とまどった。ハテ、いったいホテルのバンケット・ルームで、どういう挨拶をしたものかと思い悩んだのである。

まさか防寒コートに双眼鏡をぶら下げて行くわけにもいくまい。あちらもまさかそのなりではあるまい、と思う。

で、当日私は、防寒コートは着ずにフォーマル・スーツをバリッと着、双眼鏡はぶら下げずによそ行きのメガネをかけ、パドックでは常に火焔太鼓のごとく逆立てている頭髪もムースでベットリと固めて会場へと赴いた。

ホーム・ストレッチならぬ都会の夜景を眼下に望む最上階の絨毯の上に磨き上げた革靴を一歩ふみ出したとたん、私はあせった。

受付の金屏風の前に、ダブルのスーツを着、メガネをかけかえ、頭髪をビシッとムースで固めた某氏が立っているではないか。

一瞬、ナゼあいつがここにいるのだと思った。氏もその瞬間、ナゼあいつがここに来たのだ、という顔をなさった。

「どうも先生。本日はお招きにあずかりまして」

「ようこそお越し下さいました、先生。お忙しいところ恐縮です」

会場で交わした言葉は、それだけである。

その週末、私たちは何ごともなく肩を並べて指定席の行列にしゃがみこみ、ヤリだヤラズだ、時計がちがうの上がりがどうのと囁き合った。まことふしぎな関係である。

それにしても、馬番連勝8万8960円は快挙であった。このところ氏は中山、私は府中場外で、顔を合わせていないが、証拠の馬券は持っている。

「へっへっ、取っちまったよー」

「ほんとかよー」

明後日の朝の会話を想像して、私はひとりほくそ笑む。

絶滅の危機について

子供のころ、動物図鑑のある記載に、ひどい衝撃を受けた。

「日本オオカミ――かつては日本中に棲息《せいそく》していましたが、明治〇年紀伊半島の大台ヶ原山中で捕獲された一頭を最後に絶滅しました」

と、そんな内容であったと思う。

まず「絶滅」という言葉の持つ重さ、絶望的な終末感に押しつぶされそうな気持ちになった。続いて「最後の一頭」の孤独な生涯について思い悩んだ。考えれば考えるほど想像は膨らみ、私は気の毒な日本オオカミの絵を見ながらシクシクと泣いてしまった。

私の生家は「不義理非人情」を暗黙の家訓とする、極めてリアリスチックな家であったので、まさか次男坊が絶滅した動物のために痛哭《つうこく》しているなどとは誰も思わず、これはきっと学校で手ひどいイジメにでも遭ったのだろうと誤解された。

私が泣いた理由を告白すると、家族は輪になって図鑑を覗きこみ、大笑いに笑った。そうしたことで涙を流す突然変異の子供が、よほどおかしかったのであろう。

もっとも敗戦の傷も癒えきらぬ昭和三十年代前半の話であるから、私の家族がとりわけ非人情であったわけではあるまい。

社会はものすごい勢いで変容しており、私の生家も父の辣腕《らつわん》によって急激に潤っていた。高度成長の中で忘れ去られ、あるいは死に絶えて行くものに対する感傷など、多くの人々にとって笑止でしかなかったのであろう。

ところで、回りくどいイントロで恐縮であるが、そのとき私を取り囲んだ家族は全員が着物を着用していた。当時としてはあたりまえのことである。

どこの家でも父親は仕事から帰れば着物を着て兵児帯《へこおび》を締めることになっており、明治生まれの祖父母はめったに洋服など着ず、母親も着物の上に割烹着を着て家事をし、子供らも就寝に際しては、冬はネル、夏はユカタを着た。したがってその晩も、家族は当然全員が着物姿であったはずなのである。

絶滅の危機に瀕しているといえば、今日この日本古来の習俗こそそれであろう。わずか三十数年前にはどこの家にもあった着物姿という習慣が、いまや特殊な環境を除いてほぼ絶えている。

「特殊な環境」とは、「職業上の必要性」と言い換えても、もはや誤りではあるまい。たとえば茶花道や日本舞踊にたずさわる人々、歌舞伎や能の役者、力士、落語家、棋士、料亭の仲居やバーのマダムなどの接待業者、あるいは着物そのものを売る呉服屋等々である。もちろんこれらの周辺には、茶花道のお弟子さんや歌舞伎の観客など多くの着物姿があるにはあるが、日常的に着用しているわけではあるまい。すなわち、今日和服はそれをどうしても必要とする伝統社会でしか、日常的に着用されてはいないのである。

わずか三十数年前まではどこの家庭でも日用とし、儀式や正月のほかにも平常の衣服として町なかに見うけられた着物は、今や急速に衰退しつつある。

いったいこの現象はどうしたことであろうかと、齢に似合わぬ和服党の私は考える。

冬は暖かく、夏は涼しい。こと日本の気候風土に適しているという点においては、洋服の比ではない。また、年齢とともに肥え太ると洋服はサマにならないが、着物は腹の出るほどに格好がつき、着崩れもしなくなる。

着付けの手間、というものが衰退の主因とも考えられるが、女性の場合はともかく、男の着物は慣れてしまえば洋服よりも手間どることがないと思う。

私が着物を愛用することについて、いちおう文士のはしくれであるから伝統を重んじてそうしているという解釈は当たらない。伊達《だて》も酔狂もなく、職業的に利便だから着物を着るのである。文机に長時間向き合うためには、どうしても着物しかない。ズボンをはき、ベルトで腰を締めていたのでは、この短い原稿すらも書きおおすことはできない。

これはおそらく同業者のどなたも同じであろうと思う。つまり、何も歴史物を書くから着物を着ているというわけではなく、日ごろ文机で仕事をする作家が、その便宜上着物を着るのである。作家の中にも着物姿が少くなったのは、あぐらをかいて机に向かう人が少くなったのであろうと、私は思う。

さて、そうかと言って一般社会にも文壇にもこうまで着物姿が減ってしまうと、外出に際して着物を着るのは何となく気が引ける。

私は原稿書きに倦《う》んじ果てた朝方、愛犬パンチ号を連れて散歩に出るのであるが、実はヤクザではなく小説家なのだと近所の人にバレてこの方、どうしてもトレーニング・ウェアに着替えなければならなくなった。いかにも、という感じは恥ずかしい。

また、版元に出向くときやタダメシをごちそうになるときなども、できれば衒《てら》いなく着物姿で出かけたいと思うのであるが、これを衒いではないと考えてくれる編集者はいそうにない。私の思い過ごしかも知れないが、コノヤロウという視線を感じる。週刊現代の新年会に一張羅の紬《つむぎ》で出向いたところ、周囲から浴びせかけられるコノヤロウの視線にすっかり萎縮してしまい、翌《あく》る晩そのダメージの後遺症のために箱根山中から救急車で運ばれた事件は、今も生々しい。

作家としてのキャリアはともかく、四十も半ばとなり腹もでっぷりと出たのだから、いわゆる文壇パーティにも着物を着て行きたいと思う。しかし、会場を見渡してみれば、いつも着物姿で颯爽《さっそう》と出席されておられるのは早乙女貢先生とか尾崎秀樹先生とかいった大先輩である。自分が同じなりでそこにいる姿は想像するだにおこがましい気がする。

しかもまずいことには、着物姿にふさわしい大先生方と私たち若手との間をつなぐ中間の世代というものが、なぜかふしぎなくらいに少い。ということは、私たち団塊以降の作家（これがまたものすごく多い）が着物を着てパーティに出席するのは、あろうことか親と同じなりをするということで、やはりどう考えてもおこがましい気がするのである。

作家が着物を着用するのは、職業上の便宜性もさることながら、いやしくも日本文学の伝統と日本語の文化を享《う》け継ぐ者の正しい作法であると思う。着物は私たちにとって、真のステイタス・シンボルであろうと思う。

そろそろ誰かしらが勇を鼓《こ》して公然と着物を着そうな気がするのだが、あまたの団塊以降世代からは未だ出現しない。

誰かが着れば俺も着てやろうという考えは卑怯であると思う。いや、おそらくあらゆる伝統的な習俗は、そういうふうにして滅びてしまうのであろうと思えば、怯懦《きょうだ》の一言で片付けられるほど簡単なことではあるまい。

たとえば、こんなふうに考えているのは実は私ひとりで、あまたのご同輩は誰も着物が作家のステイタス・シンボルであるなどとは思っていないのかも知れない。みんなが同じスタイルで仕事をし、同じ怯懦によって着物を着ようとしないのであろうと考えるのは私の幻想で、本当はどなたもそんなことは夢だに思わず、大都会の夜景を見下す高層マンションの椅子に座って、ワープロを叩いているのかも知れない。

だとすると、おそらく近い将来に勇を鼓して着物を着、パーティ会場に出現する私は、大台ヶ原山中からよろぼい出た一頭のオオカミということになりはすまいか。

この仮定はちょっと怖ろしい。少くとも私はただいま、着物に兵児帯を締め、古色蒼然たる満寿屋《ますや》の原稿用紙に向かって大あぐらをかいているのである。

ふと、数百年後の図鑑の一頁を思い描く。

「文士――いわゆる小説家の異種として、かつては日本中に生活していましたが、西暦〇年ごろ東京都多摩地区で死んだ浅田次郎という一人を最後に絶滅しました。この人は図のような着物を着て畳の上に座り、万年筆という筆記具で死ぬまで売れない小説を書いていたそうです」

上梓《じょうし》について

長篇小説の脱稿を宣言したのは、たしか去年の九月であったかと思う。

古来わが業界では、作品を書き上げることを「脱稿」と言い、出版されることを「上梓《じょうし》」と呼ぶ。いずれも言い得て妙な言葉であろうと思う。

梓《あずさ》は硬く弾性のある木で、弓の素材として用いられたことはよく知られているが、実は同じ特性からかつては版木に利用された。書き上がった原稿を、心をこめて梓の版木に刻み、世に上《のぼ》せる。いい言葉である。

ところで、今にして思えば私の脱稿宣言はやや早計であった。ふつう小説は脱稿の後、著者の校正、出版元の校閲を経て、早ければ一ヵ月以内、遅くとも二ヵ月程度で上梓に至る。したがって脱稿から七ヵ月も経つのに出版されないというのは、ちょっとした異常事態なのである。

当然、日の経つうちに業界では「浅田次郎大原稿ボツ説」が流布《るふ》された。

私はこらえ性がないので、執筆開始にあたってはさあ書くぞと公言してしまい、中途では誰彼のみさかいなく粗筋や結末までしゃべってしまい、脱稿に際してはあろうことか「脱稿について」なんぞというエッセイまで書いてしまう。そうしたラッパを三年にわたって吹き鳴らした後で、脱稿はしたらしいのだが七ヵ月も本が出ないとなると、自然に「浅田次郎大原稿ボツ説」が囁かれるわけである。

元来私は文壇のカラメ手から侵入してきた感じがあり、多くの読者や関係者から「極道系作家」「小説もたまに書く競馬予想家」「週刊現代にお笑いエッセイを書いている人」と認識されている。

つまり、そんな私が「近代中国を舞台にした一千八百枚の大長篇小説」を書いていると公言するのは、たとえば隣の棟梁《とうりょう》が「実は新宿の高層ビルを建てている」と言うようなもので、相当に疑わしい話であったろうと思われる。

しかも版元は業界のガリバー講談社、担当編集者は先年髙村薫氏の『照柿』を世に送り出したO氏であるとなれば、「大原稿ボツ説」の信憑性もいや増す。

ために近ごろでは、誰もその件について訊ねようとはせず、何となく再起不能の棟梁を見るような目で、気の毒そうに私を見るのである。

しかし、謎の七ヵ月にはそれなりの意味があった。私とO氏は初校ゲラを通読したとたん、わがことながら余りのデキの良さに腰を抜かしてしまい、卒然として昨今のハイテク出版事情に逆行しようと決意したのである。

以来、この長篇の再校ゲラを改むること四度、連日夜を徹して議論を戦わし、ついには殴り合うこと三度に及んだ。その間、両者はともに四十肩が悪化し、目もすっかり遠くなった。しまいにはもともと長身痩軀《そうく》のO氏はさらに五キロも痩せ、私は過労がたたって右耳を失聴した。

ひとけの絶えた真夜中の編集部で、七ヵ月にわたる作業を終了したとき、O氏が呆然と呟いた「おつかれさまでした。これで校了します」の一言を、私は生涯忘れないだろうと思う。

人生にはチャンスが何度もある。毎日のように訪れる小さなチャンスは、摑むも摑まざるもその効果はたかが知れているが、結果の積み重ねがさらなるチャンスを招来することは確かだ。そしてやがて、一生に三度しかないと言われるビッグ・チャンスがめぐってくる。私とO氏はともに、初校ゲラを通し読みしたとき、これこそおたがいのビッグ・チャンスにちがいないと感じたのだった。

上下二巻、二段組というたいそう手強《てごわ》い本になる。

物語の舞台は清朝末期の中国、西太后《せいたいごう》の時代である。

河北《かほく》の曠野《こうや》に生きる貧しい糞拾いの少年が、ある日、韃靼《だったん》の老占星術師の口から、思いもかけぬ未来を予言される。

「汝《なんじ》は遠からず都に上り、紫禁城の奥深くおわします帝のお側近くに仕えることとなろう。やがて中華の財物のことごとくをその手中にからめ取るであろう――そう、その輝《あかぎ》切れた、凍瘡《しもやけ》に崩れ爛《ただ》れた、汝の掌《てのひら》のうちに」

　こうして長い物語は始まる。

　清朝末期は、作家である以前に歴史マニアである私の、最も興味を持つ時代であった。東洋的マキャベリズムの崩壊。欧州列強の理不尽な侵略。そうした歴史の流れとは一切関係なく厳然と守られる科挙制度。あるいは宦官《かんがん》という宮廷奴隷の存在。中国的コミュニズムの自然萌芽。国家的目論見《もくろみ》によって歴史を捏造《ねつぞう》するジャーナリズムとその良心の所在。混沌における神の不在。そして人間の力の、神の意志を超克する可能性。

　エッセンスを抜き書けば難解に思えるが、極めて読みやすい小説であると思う。私は作家の信条として、一部の読者にしか理解しえない小説はたとえどれほどの芸術的水準に達していようと小説としての価値はないと考えているので、この点については最も心を配ったつもりである。

　さて、コマーシャルはともかくとして、上梓にあたっては件《くだん》のO氏を初め、多くの方々のご助力をいただいた。いや、それは助力と呼ぶほどのなまなかなものではない。ほとんど私をめぐるプロジェクト・チームの総合力によって上梓された。

多くの読者はこのように臆面もなく著作の喧伝をする私を、訝《いぶか》しく思うであろう。だが私は、私の作品とされるところのこの小説が、読者の目には触れぬ多くのスタッフの成果であると知っているから、たとえ怪訝《けげん》に思われようとも、私の良識を疑われようとも、刊行の宣伝をせずにはおられないのである。「拙著」などとは、どうしても呼ぶことができないのである。

立派な装幀を施された本の表紙には、当然のことながら私の名前しか記されてはいない。だが本来は、私の名に並んでO氏の実名が記されていなければならぬはずであり、さらには著者以上の資料を繙《ひもと》き、長大な原稿を数度にわたって校閲して下さった陰の人々の名が記されていて然《しか》るべきだと思う。

私が作品中の後半部に登場する日本人ジャーナリストに、O氏の実名を冠したことは決して座興ではない。できうるならば校閲にたずさわったお顔も知らぬ方々の名前を、すべての登場人物の名前に置きかえておきたかった。

いつでもそうなのだが、私は上梓された本の表紙を見るたびに、いかにも私ひとりで書いたのだと言い張っているような面映ゆさを感じる。社業が社長個人の栄光だと言っているような、あるいは恩師や父母のことを忘れて、自分ひとりで成長いたしましたと誇っているような、愚かしさを感ずるのである。

そんな結構な人生など、世の中にあるはずはない。

昨年の今ごろ、つまり長篇小説の執筆がクライマックスにさしかかっていたころ、別の作品で吉川英治文学新人賞をいただいた。この受賞が作品を完成させたと言ってもよろしいかと思う。

私はべつだん吉川英治のファンではなく、文学的な影響を受けたということさらの自覚もない。ただし、その小説家としてのスタンスを、深く尊敬している。

吉川英治は作品が上梓されるたびに、活版技術者の苦労を口にしたという。自らがかって活字ひろいの徒弟であったからである。

同様に何ら資格も学歴もなく作家になった私は、このエピソードを看過することができない。自らがしてやったりと誇るのは、万馬券的中の快挙のみである。

打ち上げをした銀座のバーで、O氏に「オレ、顔が変わってないか」と訊ねたら、「変わっていない」と答えてくれたので少しホッとした。三年にわたる執筆の間にすっかり頭もハゲ、片方の耳は聴こえなくなってしまったけれど、顔つきさえ偉そうになっていなければもっといい小説が書けると思う。

プロジェクトの名誉と栄光のために、もういちど宣伝をする。

すべての読者の人生観と世界観をくつがえす大歴史スペクタクル『蒼穹《そうきゅう》の昴《すばる》』。上下巻各1800円。来たる四月十八日、講談社より全国一斉に上梓される。

学習について

「学習」は、良い言葉である。

この一語にめぐり逢うたびに、私はいつも「論語」の冒頭にある「子《し》曰《のたま》わく、学びて時にこれを習う、亦《ま》た説《よろこ》ばしからずや」、という言葉を思い出す。学問をすることの楽しさや意義は、まさにこの通りであろうと思う。

「論語」はそもそも孔子の著作ではなく、その没後三百年以上も経ってから、後世の弟子たちによって編集されたものである。したがって内容は極めて体系的な二十編に分類されており、それら各編の見出しには、おそらく後世の儒者たちが最重要と考えた一行目の言葉が採用されている。

たとえば、理想の政治を説いた「為政編」は、「子曰わく、政を為すに徳を以てすれば、譬《たと》えば北辰《ほくしん》の其の所に居《おり》て衆星《しゅうせい》のこれを共《めぐ》るがごとし」による。

政治が「道徳」を基本としていれば、社会は動かざる北極星をめぐる天体のように、整然と運行する。まさに至言である。

「里仁《りじん》編」のタイトルは、「子曰わく、仁《じん》に里《お》るを美《よ》しと為す。択《えら》んで仁に処《お》らずんば、焉《いずく》んぞ知ることを得ん」による。

人は「仁」、すなわち人間らしい環境の中に、自然に住みつかねばならない。何か他の理由で人間らしくない場所に住む人を、知者とは言えぬ、ということである。

教育のありかたについて語る「述而《じゅつじ》編」は、「子曰わく、述《の》べて而《つくら》不作《ず》、信じて古《いにしえ》を好む」と、その冒頭に記す。時代に即したオリジナリティなど不要、信ずるべきは古代から享《う》け継がれてきたトラディショナルな形態、と孔子は言う（私はずっとこの言葉に呪われている）。

さきの「学びて時にこれを習う」は、「学而《がくじ》編」の冒頭にあり、すなわち「論語」の第一行目を飾る。いかに後世の儒者たちに尊ばれた言葉であるかが知れる。

たしかに政治が道徳を忘れたときに社会は乱れ、人が仁《じん》に里《お》ることを忘れたときにいまわしいバブルの時代が訪れ、古《いにしえ》を忘れたとたん、文化も教育も衰弱した。孔子の言ったことに誤りはないと感じる。

同様に、現代を生きるわれわれは、孔子の弟子たちが最も尊んだ「学而時習之、不亦説乎」の訓《おし》えを忘れている。学問することの楽しみを忘れ、ただ立身のためのみにおしきせの教養を身につけ、しかも決して「習う」ことなく、次々と忘れて行く。高度な教育がすべての人々に行きわたっても、世の中が少しも良くはならないのは、たぶんこのせいであろうと思う。

そこで、話は飛ぶ。いや、飛んだように見えて実は飛んではいないので、よく読んで欲しい。

先日、神戸で起こったこんな出来事を、読者は知っているであろうか。

被災者のひとりである男子中学生が、鉄道自殺を図ろうとする老人を発見した。老人は線路に蹲《うずくま》って、迫り来る列車をじっと待っていたのである。

ほとんど報道されなかった出来事であるから、以下は多少の想像をお許し願いたい。ともかく少年は、とっさに我が身の危険も省ず柵を乗り越え、何本もの線路を横切って老人のもとに駆け寄った。

「おじいちゃん、なにしとるねん。電車が来よるで」

「死ぬねん。わし、もう生きとってもしょうもないよって、死ぬねん。死なしてや、ぼん」

「あかん。死んだらあかん。さ、立たな」

「いやや。わし、死ぬねん。死んでみんなのとこ行くのや」

「あかんあかん。ぼくのおじちゃんも震災で死によった。学校の友達も近所の人らも、ぎょうさん死によった。だから死んだらあかんのやて。みんな死によったから、おじいちゃんは死んだらあかんのやて。生きなあかんのやて」

少年は線路上に根の生えたように蹲る老人を、力ずくで引きずって行った。

後日のインタヴューによれば少年はそのとき、ともかく交番を探して、自殺志願の老人を警察に託さねばならないと思ったそうである。白昼の町なかであるから、当然周囲に人はいたであろうし、車も走っていたはずである。しかし少年は、おそらく老人の命を救うことが自分の任務であると信じた。だから老人を小さな背中に背負って、ひたすら交番を探した。

こんな会話が交わされたのではなかろうかと思う。

「死なしてや、ぼん。家も焼けてもうたし、生きとってもしょうもないんや」

「家なら、ぼくんちかて焼けてもうたよ。そんなこと関係ないやろ」

「体もいうこときかへんねん。ぼんは若いよって、わからへんやろけど」

「それも関係あらへんて。死んだらあかんのやて。おじいちゃんもぼくも、震災で死ななかったんやから、生きなあかんのやて」

少年は老人の重みに力つきて、ようやく道路ぞいのラーメン屋に救いを求めた。死ぬはずであった老人は、こうして救われた。

この出来事は、朝のワイドショーがわずかに伝えただけである。新聞にすら報じられることがなかった。

少年の勇気ある行動について、私は「学びて時にこれを習う、亦た説ばしからずや」の一文を想起した。決して詭弁《きべん》にはあたらぬと思う。

多くの人々は、わずか一年前の悲劇を忘れてしまった。だが賢い少年は、彼の身の上に襲いかかった震災の悲劇の中から、学んでいたのである。そして時にこれを習い続けた結果、身の危険も省ずに老人を救い、説諭し、警察に送り届けることを責務と信じて、老人をその背中に背負ったのである。

学習効果などという今日的造語は、いささか軽薄に過ぎるであろう。しかし少年はたしかに、学び、時に習い、行動として体現した。孔子の訓《おし》えを不朽の実学であると信じている私にとって、少年の勇気はあまりにも眩《まば》ゆい。

われわれはみな、「政を為すに徳を以てす」ることを忘れてしまった。「仁に里《お》るを美《よ》しと為す」ことも忘れてしまった。「信じて古《いにしえ》を好む」ことも、「学びて時にこれを習う」ことも、ことごとく忘れ去ってしまった。そして忘れるどころか、これらの訓えを実学として教える教育者も、今はいない。

その結果が、住専問題であり、沖縄の問題であり、エイズでありオウムでありイジメであることに、誰も気付きすらしない。

震災はまことに不幸な出来事であった。被災者の方々の傷が癒えることは、永久にないだろうと思う。かくいう私も、お笑いエッセイの合い間に無責任な文章を書き、ときどき思いついたように、コンビニのガラス瓶に小銭を入れることぐらいしか、しはしない。

そんな私にとって、少年の行為はあまりにも眩ゆいのである。

不幸も幸福も、人間にとってはすべての変事が試練なのだと思う。襲いかかった不幸の有様をどのように記憶するのか、また幸福を甘受せずに、それがもたらされた原因と理由とをどのように分析するのか、まことの「学習」とはつまり、そういうことであろうかと思う。

震災は不幸な出来事であったけれども、不幸を記憶した神戸の少年たちの前途は明るい。おそらく彼らは、生涯を通じて時に習い、ある者は政治家となって不動の北辰《ほくしん》のごとき善政を実現するであろう。あるいは人間らしい環境を求めて、家族を立派に養うであろう。あるいは古来からの訓えを繙《ひもと》き、真の教育者となるであろう。

そして何よりも、彼らは希望を失った人々に対して、「死んだらあかん。生きなあかんのや」、と叫び続けるにちがいない。そうすることを自らの責務と信じて、不幸な人々を背負って歩き続けるにちがいない。

少くとも彼らの中からは、人の命を何とも思わぬ医学者や役人は生まれない。何百億もの借金を踏み倒してシラを切る実業家も、金を金とも思わぬ放漫な銀行家も生まれない。かつて国家の楯となった島の苦難の歴史を、裁判で争うような政治家は生まれるはずがない。

未曾有《みぞう》の困難を体験した神戸の少年少女は、日本の未来にとって金の卵である。どうか倦《う》まずたゆまず、学問を積んで欲しいと思う。

鬱《うつ》について

「鬱」――ああ、どうしてこの漢字だけが簡略化されることがないのであろう。ワープロを使用する作家にとってはもはやどうでも良いことであろうが、相も変わらぬ手書き原稿の私にとって、これはかなり切実な問題なのである。

適当な略字体が思いうかばなかったのであろうか。それとも使用頻度が低いから略字を作るに及ばないと判断されたのであろうか。

いや、そんなはずはない。現に私の文章には相当の頻度でこの文字が出現する。「鬱然」「鬱蒼」「鬱積」「鬱憤」「陰鬱」「沈鬱」「憂鬱」「鬱陶しい」……ちょっと考えただけでも、これだけの熟語を常用している。

しかもこれらの中で、平仮名に表記しても文章の威厳を損わないと思われるものは、せいぜい「うっそうとした」「うっとうしい」の二種類だけであろう。

「鬱」——それにしてもまあ、何とも鬱然たる文字であることか。見るだに鬱、書いてなお鬱、この字を作り出した中国人のこだわりと才能とが、ひしひしとしのばれる。

さて、こうして「鬱」の字を弄《もてあそ》んでいる私は、現在非常な鬱状態にある。一年に何度か、ことに季節の変わり目に、この精神状態はやってくる。具体的にどういうものかと説明をするのは難しい。まさに「鬱」なのである。

ふつうは数日、長くとも一週間あれば回復するのであるが、今年に限ってはかれこれ半月もこの状態が続いている。いったんハマってしまえば自然治癒を待つほかはないので、まことに辛い。この異常な回復の遅れはたぶん、いつまでも桜の散らぬ花冷えのせいであろうと思う。

思いつめるのはいけないことである。だがこの数日、ほとんど思考停止の状態にあるので、今回はあえてこれを書くほかはないと肚《はら》をくくった。

明らかなる発症は、高校一年の春であったと思う。子供のころから極めてナーバスな性格で、感情の起伏が激しかった。その点ずいぶん家族を悩ませたはずであるが、幸か不幸か九歳のときに家が没落し、遠縁に預けられる羽目になったので、自然と感情を抑えるようになった。

小学校六年のとき母のもとへ、中学三年で父のもとに引き取られた。母は病弱で経済的にも苦しく、父には新しい家庭があった。鬱屈した感情が逃げ場を失って、病的な症状に現れたのであろうと思う。

中学三年の春に突然、それまで判を捺《お》したように守られていた時間割が狂った。夜に寝つけなくなり、朝はどうしても起きられなくなった。毎日遅刻をして、授業中もほとんど眠っていた。学校は都内でも指折りの進学校であり、家族もそれなりの期待をしていたから、当然どちらからもきつい叱責を受けた。このプレッシャーが被害妄想となった。すべての人々が自分に対して悪意を抱いている。みんなから憎まれ、蔑《さげす》まれていると思いこんだ。

夏休みに決定的な事件が起こった。私の最も敬愛していた先輩が、信州の湖で溺死したのである。文学の楽しみと、小説を書くことを教えてくれた、かけがえのない人であった。

以来、私は見えざるものを見、聴こえざるものを聴くようになった。発作的に死んでしまうのが怖ろしくて、離れて暮らしていた母の家に行き、ありのままの説明をした。今にして思うのだが、破滅を予感し、死を恐怖し、ありのままに救いを求めることができたのは、われながらあっぱれであった。

母に付き添われて病院へ行き、父には内緒でしばらくの間、通院をした。しかし、環境が変わらないのだから、病状が好転するはずはなかった。ことに、私を置き去りにして過ぎて行く進学校のカリキュラムは、恐怖そのものであった。

毎朝、通学の途中で下痢や吐き気に襲われ、ようやくたどり着いた校門の前では足がすくんだ。

母校の名誉のために言っておくが、私が中学から通っていた進学校は、決してそんな私を見捨てたわけではなかった。教師も級友も私の異変を察し、慮《おもんぱか》ってくれた。ただ、私自身がつまらぬプライドから、彼らに対して心を開くことができなかっただけである。環境のせいではない。私は病気なのであった。

その年の冬、私が卒然と家出をし、見知らぬ下宿屋に転がりこみ、新たな生活を始めたのはおそらく、動物的な本能であろうと思う。編入試験を行っている学校を探し、二学年度から転校した。そのとき真夜中に下宿を訪れ、翻意を促してくれた二人の級友の友情は忘れ難い。

たしか理由を問われて、「小説を書くために」、と言った記憶がある。それは嘘である。破滅したくないからだとは、どうしても言えなかったから、私は生涯にただ一度だけ、心を許した親友をたばかった。嘘は傷である。その傷を癒すために、私は最善の努力をしなければならなかった。

いかに「鬱」であるとはいえ、私事を綿々と語ることは本意ではない。

思うに、書いてしまえばわずか原稿用紙数枚に過ぎぬ私の経験の中に、今日社会問題となっている青少年の自殺の鍵が潜んでいるのではなかろうか。

「鬱」は青春のハードルであろうと思う。そしてその障害の高さは、個人をめぐる環境がもたらすものではなく、個人の性格が自ずと築き上げるものなのであろう。

省《かえりみ》るに私はあのころ、私をとりまくすべての環境に悪意を感じていた。もちろんそれらの多くは幻想であった。遺書にしたためることこそしなかったが、おそらく自分が解決の方法を見出せずに決然と破滅の道を選んでいたとしたら、たぶん己れの行為を正当化するために、さまざまの怨みつらみを書き並べたであろうと思う。

全てを「イジメ」の一言で総括してしまうのは、あまりに短絡的ではなかろうかと、あのとき死んでしまってもしもふしぎではなかった私は考える。

犯人さがしをするよりも、少年たちの「鬱」の根源を探り、それを病として癒すことが教師や親やマスコミのつとめであると思うのだが、さてどうだろう。

自殺をする子供らが、おしなべて心の優しい、真面目な、しかも悧発な、潔癖な性格であることはゆるぎない事実で、それが即ちイジメの対象となる性格であるとは言い難い。ただし、まちがいなく彼らの「鬱」のハードルは高い。

十五歳の私は、得体の知れぬ「鬱」と格闘していた。窮極において、それはほとんど生か死かの選択を迫られるほどの熾烈《しれつ》な悩みであった。だが、自らを選良であると信じていた私は、その窮極の苦悩を誰にも打ち明けることができなかった。

やさしい子やデキのいい子は生来ハイリスクであるといえる。

冬の夜の家出は、生の選択であった。あの晩、私は着のみ着のままで死から脱出した。ボストンバッグの中には、預金通帳と辞書だけが入っていた。なぜ辞書であったのかはわからないが、ともかく広辞苑と漢和辞典と、研究社の英和辞典を持った。教科書も着替えも持たずに辞書類だけを詰めこんだというのは今さら説明のつけようもないが、たぶんそれらが私のアイデンティティーであったのだろうと思う。

あえて具体的な理由をつけるとするなら、それらは別れた母が買い揃えてくれたものであった。中学に合格したとき、おまえには塾にも行かせず家庭教師もつけなかったのだからこのぐらいはしてやるよと、乏しい財布をはたいて買ってくれたのだった。ホステスをしながら私を育ててくれた母は、結局経済的な事由で私を手放したのだが、そのとたんにこんなことになってしまったという苛責《かしやく》の念が、家出に際してパンツよりも辞書を選ばせたのであろうか。

とんだ浪花節になってしまった。どうかすべてはナーバスな作家の鬱状態におけるたわごとだと、お許し願いたい。

ボロボロの広辞苑を枕にして、これより眠る。おかあさん、おやすみなさい。

毀誉褒貶《きよほうへん》について

ファッションの流行が二十年もしくは二十五年の時を経て循環するという説は、どうやら本当らしい。

ちかごろの若い娘の服装を観察すると、ベルボトムのジーンズに大きな襟のブラウス、高いヒールのついたポックリ様の靴、これらはどう見てもわれらが青春時代の風俗そのものである。

ビジネスマンの襟元に注目して見ても、しばらく続いた細身のタイにタブ・カラーのシャツというスタイルはすでにジジ臭い世代に入っており、最近は昔なつかしワイド・スプレッドのシャツに太いネクタイを三角形のウィンザー・ノットに締めるという流行が始まっているらしい。

こと服装に限っては、親や上司がおのれの若き日のスタイルを子や部下に強制するはずはないのだから、こうした現象はむしろ自然の摂理とでも言うべきなのであろう。思うに、ファッションの類型はほぼ何種かのパターンに完成してしまっているのではなかろうか。それらの類型が多少のマイナー・チェンジを施されながらも、ほぼ二十年おきに輪廻《りんね》していると考えれば、流行というものの実体は説明がつく。

——と、まあこのようにどうでもよいことばかり考えながら、小説家は日々を送っているのである。

過日、銭湯の椅子にほてった体をさましつつ、どうでもよいことをあれこれと考えているうち、フト私は興味深い流行の変遷に気付いた。

パンツについて、である。

私たち団塊世代を中心とするオヤジどもは、おしなべて白いブリーフを着用している。ところが、三十歳代とおぼしき連中は、ほぼ例外なくトランクスをはいている。そして、これは愕《おどろ》くべき発見であったのだが、二十代前半、もしくは十代の青年は、なぜか再びブリーフに回帰しているのである。

ただし、よく注目してみると、オヤジ世代のブリーフとセガレ世代のブリーフは、同じブリーフでも微妙に形状が異なる。オヤジのそれはいかにも「メリヤス」という感じの厚手の生地で股ガミが深く、おおかたは三枚一組でスーパーのワゴンに並べられていたものを、女房が買い与えたのであろう、という印象が強い。一方、セガレ世代のそれは生地が薄く、形もビキニ状で、たぶんジーンズ・ショップの店頭で売られていると想像される。

この微妙な違いが、「流行のマイナー・チェンジ」というものであろうと、私は考えた。

かくいう私は、世代の中ではむしろ少数派に属するトランクスをはいている。実は数年前まではオヤジ型ブリーフを長くはいていたのであるが、事情により転向した。

この事情を説明するのはいささか心苦しいが、ここまで言っちまったのだからつつみ隠さず白状する。

四十も近くなったころ、使いすぎだかタダの老化現象だかは知らんが、急に小便のキレが悪くなった。振れど絞れど、ズボンに収めたとたんタラリとくる。不快であった。情けなかった。従順であった部下に反抗されたような気分であった。はっきり言うなら、金玉の叛逆であった。

当初は技術でカバーした。生意気な部下を籠絡《ろうらく》するテクニックである。いったん収《しま》うと見せかけてサッと引っぱり出すと、叛逆の一滴はたわいもなく便器に滴り落ちた。

しかし、そのうち部下も私の手の内を読むようになってしまい、こっちも忙しいときはそうそうかまってもいられず、しばしばズボンを濡らした。

そんなある日、同様の悩みを持つ友人に耳よりな話を聞いた。ブリーフをトランクスに変えてみろ、だいぶ違うぞ、というのである。

そこで物は試しと、長年はき慣れたブリーフを捨て、トランクスを着用してみると、これがたしかに違う。どうやらブリーフは構造的に尿道を圧迫するらしい。はき替えた当初はブリーフの緊迫感が懐かしく、トランクスの開放感にわが身の堕落と無節操とを感じたものであったが、じきに慣れた。悩める読者はぜひお試しねがいたい。

ところで、記憶に誤りがなければ、私の幼年時代にはそもそもブリーフなるパンツは存在しなかった。少くとも団塊以上の読者はその幼年期において、通称サルマタと呼ばれた原始的トランクスをはいておられたと思う。

たぶん昭和三十年代前半にブリーフなるものが出現し、またたく間に少年の尻を被《おお》いつくした。

初めてそれを着用したとき、何だか女性のズロースのようだと思って赤面した記憶がある。しかし半ズボンの裾からはみ出ないのが気に入った。もちろん「ブリーフ」などというシャレた名称はなく、「ショート・パンツ」と呼ばれていたと思う。同時に、それまでパンツの代名詞であった原始的トランクスには「デカパン」という蔑称が与えられた。

現在われわれの世代より上は、お年寄りに至るまでブリーフを使用していることを考えれば、その出現は流行というよりもエポック・メイキングであったのだろう。ブリーフの特性たる「吸湿性」が、トランクスつまりサルマタの「通気性」を凌駕《りょうが》した結果であろうと思料される（ただし、さらに深く考えれば、ブリーフの出現は実はフンドシへの合理的回帰、すなわちフンドシのマイナー・チェンジがブリーフであった、という解釈もありうる）。

では、いっとき「デカパン」として貶《おとし》められたトランクスが、不死鳥のごとく復権を果たした理由とはいったい何であろう。

おそらくその社会背景には、冷房設備の普及という住環境の改革があったのではなかろうか。股間に汗をかかなくなったから、ブリーフの「吸湿性」にもまして、再びトランクスの「通気性」がクローズ・アップされたのである。しかも、これはまことに着目すべき点であるが、かつて日本人男子の宿業の病であったところの「インキン」が、ほぼそのころ撲滅されたこととも無縁ではあるまい。

私ももちろん経験があるが、インキン持ちはブリーフに限る。インキンの苦痛は何と言っても、陰嚢《いんのう》と股とがこすれ合う痛みに尽きるのであって、症状がそこまで進めばトランクスは禁忌《きんき》なのである。どうかあのころの、爛《ただ》れた患部に特効薬「キンカン」を、ウチワ片手に乾いては塗り乾いては塗り、悲鳴を上げた苦しみを思い返していただきたい。

あの厭《いと》わしい風土病が冷房装置の普及により撲滅されたとき、同時にまたトランクスの復権がなされたと、私は確信する。

さらに小説家のどうでもよい思惟《しい》を進める。

トランクスの復権せるもうひとつの大きな理由として、そのファッション性が挙げられるであろう。

ブリーフがメリヤス、すなわちニット地であるのに対し、トランクスは布地縫製品である。したがってブリーフは単色無地に限られるが、トランクスは自由な着彩とプリント図案が可能である。私はいまだかつて「プリント柄のブリーフ」というものを見たことがないし、「白無地のトランクス」はもしかしたらあるかも知れないが、それはタダのサルマタであろう。

つまり、世の中が豊かになり、ファッション性がすべての製品に要求されるようになったから、トランクスは復活したのである。かく言う私も、よんどころない事情によりブリーフからトランクスへと宗旨を改めたのであるが、今では「趣味のパンツ」を楽しんでいる。ことにトラディショナルなペーズリー柄、渋めのストライプ、後期印象派的なアラベスク紋様等を好む。

ブリーフではこうしたコレクションを楽しむことができない。その日の気分や行動予定に合わせてタンスを探る楽しみは、トランクス愛好家の特権であろう。

だが、待てよ。わが身に照らして、ブリーフとトランクスの毀誉褒貶の歴史はだいたい解明した。だとすると、セガレ世代が突如としてはき始めたブリーフは、いったい何なのだ。やはりすでに完成したファッション類型の、自然な輪廻でしかないのだろうか。いや、男子の男子たる尊厳を被うパンツの存在理由が、それほど単純であるはずはない。

これよりすべての締切を放棄し、ブリーフの復権せる事情を解明する。

我儘《わがまま》について

華やかな授賞式の壇上で、その人は膝の上に置かれた賞牌と花束とを、じっと見つめていた。

私は隣席のその人の業績を知らず、お名前も存じ上げなかった。授賞式に続く盛大なパーティの席上で粗相があってはならない。そう考えて控室で配布された要項の小冊を、不躾《ぶしつけ》ながらその人には悟られぬように読んだ。

昨年の春のことである。

その人と私とは、奇《く》しくも同時に吉川英治文化賞と同文学新人賞を受賞したのであった。

生年は大正十五年、つまり私とはちょうど親子のちがいがある。住所は北海道厚岸《あっけし》郡大字

——僻地であった。

略歴はこう記す。

昭和二十八年三月、当時北海道大学医学部内科医局に籍を置いていたその人は、前年の十勝沖地震の津波による大きな被害を受けた地域に、新妻を伴って赴任した。期間は一年間という約束であった。

しかし、荒廃した「釧路日赤病院分院」に到着したその人の見たものは、津波の惨状と夥《おびただ》しい結核患者と、救いがたい貧困であった。半分以上の住民が保険にすら加入しておらず、自由診療という僻地である。

昼も夜もなかった。その人は東西二十キロ、南北五十二キロに点在する十六集落の八千人の住民を、たった一人で守らねばならなかった。医師一人につき、診療人口は八百五十人が平均といわれていた時代である。しかも設備はなく、衛生環境は劣悪であった。

その人は勇敢に戦った。一年の半ばを雪と氷にとざされる曠野《こうや》のただなかで、あらゆるものを相手に戦った。そして寸暇を惜しんで釧路の病院に通い、専門外の外科や産婦人科や眼科の医術を学んだ。

七年の歳月が過ぎた。昭和三十五年、二度目の大津波が村を襲った。多くの人命を奪ったチリ沖地震津波である。

壊滅的な被害であった。三十代の半ばにさしかかっていたその人は、ひとりの医師の力ではどうすることもできない惨状の中で決意した。

もう札幌には帰らない、と。

そして、妻と子らに詫びた。

私のわがままを許してほしい、と。

それからその人は、さいはての大地に根を下ろした。着任からの四十二年を、八千人の命とともに生きた。

略歴に続く短文に、その人はこう書いていた。

「家内や子供達の夢をくだいて四十二年。札幌ははるか遠いところになってしまった。(中略)ただどんな小さな集落でも人が居れば医療があると考え生きて来た。今回の受賞は全く望外であり、私の我儘《わがまま》を許してくれた家内や子供達へすばらしい贈物を吉川英治先生がしてくれたのかも知れない。ありがとうございました——」

私は小冊を閉じた。分野こそことなれ、大変な賞をいただいてしまったと思った。

その人は私の隣で、相変わらず膝の上に置かれた賞牌と花束を、じっと見つめていた。その人にとっては本当に望外な受賞であったのかも知れない。

受賞の言葉を述べるために壇上に登った私は、すっかり上がってしまい、用意していた文句をすべて忘れてしまった。

多くの賓客やカメラの放列に臆したのではない。金屏風の前で俯きかげんに座っているその人の存在が、私の口からしゃれた挨拶の言葉を奪ってしまったのであった。シャンデリアに彩られたホテルの会場が一瞬まっくらになり、さいはての村からやってきたその老医師だけがスポットライトを浴びて、私の言葉に耳を傾けているような気がしてならなかった。

もうひとつ、印象深いことがある。

その人は笑わなかった。授賞式に続くパーティ会場で挨拶を交わしたときも、むっつりと笑わぬお顔が印象的であった。さきに頭を下げられた私は、ただいっそう身を低めて、「光栄です」、と言った。あまりに無愛想な挨拶ではあるが、他に言葉が見つからなかった。

ところで、私が思いついたように一年前のこの出来事を書く理由を、読者はすでにお察しであろうか。

先だって、場所がらもわきまえず終始幼児のように笑い続けていたあの医師のことである。学界の泰斗《たいと》と呼ばれ、位《くらい》人臣を極めたその老学究は、居並ぶ国会議員にもテレビカメラにも臆さず、まるで人の不幸や世の不幸が彼の幸福であるかのように、終始笑い続けていた。事実の真偽はさておくとしても、決して笑ってはならぬ場所でへらへらと笑い続け、笑いながら自己弁明をくり返していた彼は、泰斗であれ権威であれ、わがままな人間である。憤りとともに、私は一年前にお会いした笑わぬ人のことを、思い出したのであった。

さいはての診療所のテレビに映ったわがままな笑顔を、その人はいったいどんな気持ちで見たのだろう。また、その人を慕い、その人を恃《たの》む八千人の村人たちは、あの老獪《ろうかい》で愚かしい大学者の笑顔に、何を感じただろう。

答弁をおえて国会を去る大学者の背に、傍聴人席から「ひとごろし!」という罵声が浴びせかけられた。言われた本人は心外であったかも知れない。だが、事実はともかくとして、他人の災難を臆面もなく笑いとばすような人間はひとごろしと同じであると、私は思う。

男は本来、愚痴と同様わがままを言ってはならない。

しかし、万已《ばんや》むをえずわがままを言わねばならないことは、人生にいくどかはあると思う。そしてそのときには、家族に対し、友人に対し、真摯《しんし》に誠実に、「私のわがままを許してほしい」、と言わねばならない。少くとも人の生き死ににかかわる答弁に際して、満面の笑顔を以てするのは、男子たるもののわがままではあるまい。幼児のそれである。

ニュースを見たあと、私は一年前の小冊をもういちど読み返した。

ぶ厚いメガネをかけ、聴診器を耳に挟んで患者を診察する笑わぬ写真を見たとき、私の胸は熱くなった。その人は受賞の言葉の冒頭にこう書く。

「思いがけない大きな賞を頂くことを光栄に思い乍《なが》らも只自分で選んだ道を歩んで来たに過ぎない私はとまどいも感じて居ります――」

おざなりの言葉ではない。その人はたぶん、本心からそう言った。

僻地の人々にとって、その人は目に見える神であった。本当の神は、自らが神であることを知らない。そして、泰斗と呼ばれ権威と崇められ、自らを神としたかった老学者は、実は幼児でしかなかった。

輸入血液製剤とＨＩＶ感染をめぐる疑惑は日々深まって行く。役人と学者は窓ガラスを割った子供のように責任をなすり合う。

二度にわたる大津波で破壊しつくされたさいはての村で、その人は八千の生命を担う責任を、他の誰にも転嫁することができなかった。神のいない村で、自らが神となるしかなかった。ただ「人が居れば医療がある」と考え、十分な設備も薬もなく、輸血するべき血液もなく、保険すらもない曠野の村で、四十二年も、たったひとりで戦ってきたのである。

そう思えば、金と名誉にまみれた学者たちのシミひとつない白衣など、見るだにおぞましい。矛盾だらけの答弁をくり返す日本赤十字は、かつて僻地の「日赤病院分院」に送りこんだひとりの医師が、四十二年もそこにとどまっていることをはたして知っているのであろうか。しかもその人は、自らのわがままだと言って、かの地にとどまったのである。

授賞式のとき、その人が壇上でとつとつと語った言葉は忘れ難い。受賞が望外であったこと、ただ自らが選んだ道を歩んできたに過ぎないこと、家族にわがままを言ったこと。そして最後に、たしかこう結んだ。

「明日、帰ります。患者さんたちが、私を待っていますから」

心の色は赤十字、という古い軍歌が、私の胸に甦った。

人間の偉さが、決して富や名誉で計れるものではないということを、二人の医師は私に教えてくれた。

大きなお世話について

私は説教オヤジである。

年寄りに育てられ、体育会、自衛隊、度胸千両的社会を経て今日に至ったのであるから、人生も半ばを過ぎればこうなるのも当然であろう。

私の生きてきたタテ型社会は、目上の説教を謙虚に聞き、それをそっくりそのまま目下に申し送ることが生活の基本であった。是非を考えるゆとりなどなかった。先輩、上官、兄ィの言葉は「ご託宣」であり、白だと言われれば黒いカラスも白いのであった。説教を聞くことは義務であり、長じてそれを目下にタレることもまた己れの義務だと考えていた。

ずっとそういう組織におれば、今ごろは立派なOB、鬼軍曹、あるいは貫禄十分の兄ィであったのだろうけれど、ゆえあってものすげえリベラルな社会に転業してしまい、タダの説教オヤジになり下がった。

日ごろ付き合っている編集者たちとは、当然のことながら上《かみ》も下《しも》もない。共同作業者、もしくは商売相手の関係である。

作家の方々とも、上下《かみしも》はあるようで実はない。昔の文士のような師弟関係というものはどこにもないし、先輩後輩という認識はあることにはあるが、それぞれが独立した才能なのだから挨拶以上の礼を尽くす必要はない。むしろ文学賞の選考委員をなさっている先達に対して慇懃《いんぎん》に腰を屈《かが》めれば、かえって品性を疑われる。

つまり、上下関係というものが存在しないわが業界において、「説教」はすべて「大きなお世話」なのである。

しかし私の場合、お里がお里であるから、内心は「レクチャー」ではなく「説教」を聞きたい。もちろん、タレたい。

こうした欲求がいつの間にか私を、世間一般に対する説教オヤジに変えてしまったのであった。

競馬場のパドックでは、花形ジョッキーのおっかけギャルどもに、「やい、ユタカが走るんじゃあねえんだぞ。馬が走るんだ。そもそも競馬てえのはだな……」、などと説教をタレてしまう。大きなお世話である。

風呂屋では勝手に水をうめる若者に、「おう、いいか風呂てえのはな、うなるぐれえの熱い湯にへえって……」——これもまた、大きなお世話であろう。

先日、イスラム系とおぼしき外国人数名が商店街を横一列に並んで歩いていたので、「コラ、道を歩くときはだな、他人のじゃまにならねえように……」、と言ったら、たちまちわけのわからぬ言葉で反論された。たぶん「大きなお世話だ」と言い返したのであろう。それが大きなお世話であることは、言う本人がよくわかっているのである。わかっていながらもつい言ってしまうという、このオヤジ感覚は悲しい。

それでも娘に矛先《ほこさき》を向けることのできるうちはまだ良かったのだが、年齢とともに「はい」が「はいはい」となり、「はいはい、それで?」となるにつけ、家庭における説教もむなしいものとなった。ちかごろでは気のせいか、犬もこれに倣《なら》う。

ところで本日、久方ぶりに新宿に行った。ごろはあまり行かない。しかし聞くところによると、紀伊國屋書店に私の『蒼穹の昴』が山のごとく平積みになっておるというので、矢も楯もたまらずに出かけた。

絶対にウソだと思ったが本当であった。いつもならヒッソリと棚に収まっているはずのわが著書が、あちこちに堆《うずたか》く積み上げられているのであった。さすがは天下の紀伊國屋書店であると私は感動し、てめえの著書を買い、店員に握手を求めて気味悪がられた。

階下のピロティーに下りてさらなる感動をした。何と大通りに面した柱巻きのワゴンに、『蒼穹の昴』が八冊分も、まこと山のごとく積み上げられているではないか。

快挙であった。興奮した私は柱の蔭に佇《たたず》み、購入した男には握手をし、女は抱きしめて接吻をしてやろうと思った。そうしてジッと待った。

しかし、二十分間も待ったにも拘らず、私の本を買う者はいない。ただひとり、旧関東軍将校か満鉄関係者とおぼしき老人が手に取ったが、ペラペラとページを繰ったなり、うんざりとした感じで投げ置いてしまった。飛び蹴りをくれてやろうかと思ったが、きっと問題になるのでやめた。

私は苛立った。てめえでまた買うのもむなしいし、万がいち正体がバレでもしたらもっとむなしい。そうしてさらに待つうちに私の苛立ちは極限に達した。

何がイライラするといったって、待ち合せをしている周囲の人々が、みな携帯電話を使っている。間断ない呼音と独り言に、私は顔をしかめた。

で、すぐ隣で長話をしている若いビジネスマンに説教をタレた。場所がら、つとめて標準語を使用した。

「キミ。そこに公衆電話があるのに、ナゼ使わないのかね。通話料が高かろう」

男は当然「大きなお世話だ」、という顔をした。しかしけっこう如才ない奴で、すぐに営業スマイルを取り戻し、こう答えた。

「経費のうちですから、べつにかまわないでしょう」

言い返された私は俄然アタマに来た。

「経費といっても、金は金だろう。経営者の身にもなってみたまえ。そもそもだな、電話というものは営業の補助手段であって、どうしても会うことのできぬ取引先に、電話で恐縮ですと言いながら使うものだ。それを、さっきから聞いていれば、キミは当然のことのように何もかも電話で済ましているじゃないか。そんなことではまとまる話もまとまらん。いや、タダの怠慢だ。この横着者」

みなまで聞かずに男は立ち去ってしまった。やっぱり大きなお世話だったかな、と多少反省もしたが、どう考えても私の説教は正しい。こんなことではすべての信頼がいずれ死語となり、実業という言葉すらもやがては死んでしまうであろうと思いつつ、私は店先を後にした。

みちみちさらに苛立ちはつのった。なぜ若者たちはみな、歩きながら電話をするのだ。娘どもはなぜ歩きながらタバコを喫っておるのだ。ひとりひとりとっつかまえて説教をタレようと思ったが、余りの数の多さに私は怯《ひる》んだ。

しかし帰り途《みち》の京王電鉄の車内で、私の怒りは再び爆発したのである。

隣の席に座っていた若いOLが、やおらリュックサックを開いたとみるまに、むしゃむしゃと物を食い始めたのである。それもチョコレートならまだ許せる。混雑した車内で臆面もなく、菓子パンを食らい、牛乳を飲み始めたのであった。近ごろタバコの喫い歩きとともに、この手の娘が多い。

いったんは持ち前のインテリジェンスでこらえた。だが、アンパンの次に取り出したのがソースのこってりとかかったコロッケパンであったので、私はついに堪忍袋《かんにんぶくろ》の緒を切った。

ここで説教をせずんば、説教すらも死語となると考えた結果である。

「キミは、そんなにおなかがすいているのかね」

ここでもまた、ＯＬは「大きなお世話だ」という顔をした。

「みっともないことだとは思わんのかね。若い娘が、公衆の面前で物を食うとは何ごとか。食うことが悪いとは言わん。時と場所とをわきまえなさい」

いったいどういう世界観を持っているのであろう。その娘はしごく上品な口ぶりでこう答えたのであった。

「よろしかったら、おひとつどうぞ」

たしかに人にはそれぞれの生き方があり、営みがある。法に触れさえしなければ何をしてもいい自由社会の中で、私はたぶんタダの説教ジジイであろう。だが少くとも私は、かつて見知らぬオヤジどもから説教をされ、社会人としての良識を培《つちか》ってきた。自由と流行の名の許に説教を怠るのは、父の教えを子に伝えぬわれらが世代の怠慢であろうと考えるのだが、どうだろう。

誰に何と言われようが私は説教を続ける。大きなお世話が社会を作る、と信ずるがゆえである。

拉致《らち》について

またまた身柄を拉致された。

と言っても、べつだん命にかかわることではないから心配には及ばない。三年ごしの書き下ろし長篇『蒼穹の昴』が刊行されて、枷《かせ》を解かれたような気分になったのがいけなかった。ウキウキと夜ごと銀座でウーロン茶を飲み倒し、週末には府中のスタンドで奇声を発している事実がバレたらしい。

言いわけをする余裕も、逃げる間もなく、老舗《しにせ》版元《はんもと》「京橋屋」の手ではるか信州まで拉致されてしまったのである。しかも、泣く子も黙る大番頭とヤリ手の番頭、女性の手代の三人がかりであるから、とうてい抗《あらが》うすべもなかった。

こうした状況は正月早々、武闘派版元「汐留屋」の手にかかって以来、本年は二度目である。

もちろん身から出たサビである。決して版元が悪辣《あくらつ》な手口を使ったわけではない。「嘘はつくが約束は守る」がキャッチ・フレーズの私の名誉のために、みなさんそうしてくれているのであろう（と、思うことにしている）。

しかし、へらへらと浮かれ上がっていた私が突然煙のように消えてしまったのだから、『蒼穹の昴』の版元音羽屋や、日ごろ大した仕事もせずにメシばかり食わしてもらっている金持版元駿河屋は、穏やかではあるまい。

からめ取られるとき、京橋屋の泣く子も黙る大番頭は低い声で言った。「何でしたら、一気に脱稿なさるまでごゆっくりなさってもかまいやせんが」、と。

脱稿と言ったたって約束は一冊分の書き下ろしであるから、最低でも四百枚かそこいら、へたすりゃまたぞろ千枚を越えちまうかも知らんのである。まさか信州の山荘に三年もおるわけにはいくまい。

で、値切りに値切って、足かけ四日間できるところまで、ということにした。私は営業畑が長かったので、こういう交渉はうまい。

なぜ四日間かというと、五日後の金曜の夜に駿河屋の創立七十周年とかいう宴会がある。「わかって下せえよ番頭さん。あっしだってそちらさんばかりにおまんまを食わしてもらってるわけじゃねえんです。そりゃ駿河屋さんにしたって、何もあっしが行かなきゃ始まるもんも始まらねえってわけじゃありやせんぜ。あっしなんざどちらさんからしたって鼻クソみてえなもんでしょうけど、世の中、義理てえもんがござんしょう。ね、そこいらをひとつ斟《しん》酌《しゃく》なすって、さすがは老舗の貫禄、いよっ、やっぱ太《ふと》っ肚《ぱら》だねえ、京橋屋さん！」てな調子で、へたすりゃ三年を四日に値切ったのであった。

足かけ四日というと、正味なか二日である。ということは、一日二十五枚の快ペースで走ってつごう五十枚。これで京橋屋は了簡《りょうけん》するであろうと私は踏んだ。

ただいま四日目の朝がめでたく明けようとしている。予定のノルマはおえたので、あさって締切の「勇気凜凜ルリの色・拉致《らち》について」を書いている、というわけだ。この原稿を読んだら京橋屋は激怒するかも知らんが、事情が事情であるから、どうか許していただきたい。

さて、売れない作家である私が、なぜかくもしばしば版元をわずらわせるかというと、要するに筆が遅いのである。ガキの頃から口は早いし手も早いし、逃げ足なんかもっと早いのだが、ナゼか読み書きだけがおそろしく遅い。

どのくらい遅いのかというと、こんな苦い思い出がある。

はたち前のことであったと思うが、永井荷風の『断腸亭日乗』に心酔し、ひとつ日記をつけてやろう、と思い立った。

永久保存のききそうなぶ厚い日記帳を買い求め、表紙に『梨雨亭日記・巻之壱』なんて筆で書いた。そこまでは良かった。

第一日目が、たまたま女と会ったか何かして、記憶にはないがともかく忙しい日だった。で、夜も更けたころ、さあ書こうと日記帳を開いたは良いものの、あまりの筆の遅さについ徹夜をしてしまったのであった。

当然のごとく翌《あく》る日は日がな寝て過ごした。目覚めたのは夜であった。一日じゅう寝ていたのでさすがに書くことがない。しかし将来作家を志望する者が、まさか二日目で挫折するのは情けないので、昼間に見た夢を日記に書くことにした。

まずいことには、たまたまその昼間に見た夢というのが、ものすげえ面白かった。思いたどって詳細な記述をして行くうちに、フト気付いたらまたしても朝になっていた。

翌る日、夜まで寝ずに夕方起き出したのは、こんなことではいかんと考えたからである。ちゃんと日記をつけねばならないという強迫観念のために、寝呆けまなこでアパートを出、思考停止のままパチンコに行ってイヤというほど負けた。

とりあえず行動はしたのであるから、その夜ありのままを日記に書いた。ところが明け方やっと書きおえて読み返してみたら、日記というよりも綿密このうえない反省文であった。あまりのアホらしさに、『梨雨亭日記』は三日分をもって終了ということになった。

要するに、それぐらい物を書くのが遅いのである。

通常、一枚の原稿をなすにあたって、よほど興の乗ったときでさえ概《おおむ》ね三十分を要する。機嫌の悪いとき、肩やケツの痛むとき、または性欲昂進《こうしん》のため注意力散漫となっているときなどは、この数倍の時間が必要となる。

しかもおそろしいことには、小説でもエッセイでも競馬予想でも、およそ原稿と名の付く限りこの速度はみな同じなのである。

聞くところによると、ふつう同業者の方は物語がクライマックスにかかると、一気呵成《かせい》に筆が運ぶらしい。ところが私の場合、佳境に入るやたちまち速度が鈍る。早い話が、ビビッちまうのである。ちなみに『蒼穹の昴』のラストシーンなど、クライマックスのプレッシャーの上に千八百枚のさらなる重みがのしかかり（つまりここでまちがったらすべてご破算というプレッシャーがかかり）、わずか三十枚の原稿を書くために二十日間の日数をかけてしまった。一時間に一行か二行というていたらくである。

かくて私は、やさしい版元のみなさんの手で、ある日いずこへともなく拉致されることになる。

思うに、遅い方がよろしいなどというものは、世の中にあるようでない。借金の返済と鰻の蒲焼、しいて加えればセックスの作法ぐらいのものではなかろうか。

ましてや小説の場合、ゆっくり書けば良いものになるかというと、決してそのようなことはない。むしろ逆であろうと思う。文学史上に名を残す作家の、全集に所載されている作品の量と活動年数を計算してみればその点は瞭然たるもので、つまり多少の例外は除くとしても、大作家は概して速筆である。

それが才能というものであろうかと思えば、もはやグウの音も出ない。

この際、自衛隊出身の体力に物を言わせて百まで生き永らえ、結果的に帳尻を合わせようと今から企んでいるのであるが、さてどうなるものであろうか。仮にうまくことが運んで命ながらえたとしても、非才のために中途で作家生命が断たれれば、身もフタもあるまい。

拉致という言葉は言わずもがなのシャレである。版元のみなさんは決して企業的目論見《もくろみ》のためではなく、私を鍛え、励まし、悪癖を矯正する目的でわざわざそうしてくれていることを、私は良く知っている。願わくばさらなる試練を与えて欲しいものである。

たかだか四十四歳。自分の資質を勝手にこうだと決めつけるのは十年早い。人間は命ある限り、永遠に変容する可能性を持っている。そうしたたゆまぬ変容の機会を、他人様から与えられる私は幸福だと思う。

東京に帰ったらウーロン茶もほどほどに、競馬もほどほどにして、自らの体を自らが拉致するぐらいの勇気を持とう。

山荘の窓辺に、みずいろの朝が来た。やがて唐松林の小径《こみち》をはるばる迎えに来て下さる女性編集者と、四日間のまかないをして下さった山荘のおばさんに、心からありがとうを言おう。

だが、待てよ……おお、この原稿を書くのに、何と三時間半もかかっているではないか！

グルメについて

私は典型的なB級グルメ党である。

つまり、「高くてうまいもの」にはさしたる興味を示さず、「安くてうまいもの」にすこぶる感動を覚える。

なお念のため言っておくが、もちろん「高くてうまいもの」が嫌いなわけではない。本稿を読んだ編集者たちがあらぬ誤解をして、週に一度の楽しみである理由なき晩餐に誘ってくれなくなったら大変だから、それだけはまず言っておく。

要するにA級よりB級を好むというのは、味覚というより趣味の問題なのである。A級はうまくて当然なのであるが、B級には「うまいかまずいかわからん」という投機的興味があり、果たしてうまいときにはものすごく得をした気分になる。まずけりゃまずいで、まあ笑い話にもなる。そうした点で、B級グルメ志向は一種の冒険と言える。

では、A級とB級のちがいは何かというと、読者の間には異論もあると思うが、私は極めて単純明快に物事を考える癖があるので、「値段のちがい」とハナから決めている。

私的基準によれば、一食一万円以上がA級で同千円以下がB級なのである。この際、ナゼ中抜きかというと、やはり明快な理由がある。特定の品目（たとえば日本ソバ、ウナギなど）を除き、一千一円以上一万円未満の食事は「A級の手抜きメニュー」もしくは「B級の背伸びメニュー」と決めつけているので、ほとんどわがグルメの対象とはならない。

一食千円以下という厳格な基準のもとにB級グルメを探訪し、思わず唸るような美味を発見したときの感動といったらたとえようもない。歓喜の一語に尽きる。

さて、ここまで書いてしまえば「浅田次郎のおすすめB級グルメ」を紹介せぬわけには行くまい。百万読者が殺到しないことを信じて、地元神田から極めつきの二軒を紹介する。

まず駿河《するが》台下《だいした》すずらん通りの中ほどに、私のガキの時分から毛ほどもちがわぬ味を提供し続けている「キッチン南海」。ここのカツカレーは絶品である。

長蛇の行列をたどって店内に入ると、カウンターの中には絶対に笑わぬコックが四人、忙しく立ち働いている。無愛想なのではない。笑う余裕などないほど緊張してカレーを作っているのである。店長と覚しき人物の目付きなど、まるで鷹匠《たかじょう》か棋士のようで、白衣の背中は旗竿でも立てたようにいつもピンと伸びている。

数十年も変らぬメニューはどれもうまいが、ことにカツカレーは一度食ったら病みつきになる。ガキ、学生、自衛官、渡世人、小説家と、人生の有為転変に拘らず私が「うめえうめえ」と食い続けてきたのだからまちがいはない。その間、味はいささかも変わっておらず、値段は今日も六百五十円というのだから、まさしくB級グルメの鑑《かがみ》といえよう。ただし、数ある同名系列店のうち、この店だけがズバ抜けてうまいということだけは言っておく。

さてもう一軒。前述した「南海」はけっこう知られた店であるが、こちらはアクセスとロケーションの不利のせいか、地元の人以外にはほとんど知られていない。

場所は小川町、NTTのそばとしか説明のしようはない。「八ツ手屋」という天プラ屋である。まったくわかりづらい裏道にあるが、鼻の利く人なら江戸前の香ばしい胡麻油の匂いを頼りに発見できるかも知れない。

ここの天プラは信じられぬほど安く、しかも一口食ったとたん誰でもたまげるほどうまい。どのくらいうまいのかというと、かつて私は「八ツ手屋」の目と鼻の先にあった実家を勘当され、勘当されたままガキ、学生、自衛官、渡世人、小説家と、家には帰らず天プラを食いに通ったのであった。

悲劇的なことには、その間いくどか同店にて絶縁状態のオヤジと遭遇した。実は私のオヤジも「八ツ手屋」の信者なのであった。

胡麻油の香りが漂う清浄な店内でバッタリと顔を合わせたとたん、おたがい「てめえに会いにきたんじゃねえんだ、天プラを食いにきたんだ」というように目をそむけ、黙々と天丼を食ったものだ。

ちなみにオヤジは昨年、天プラの食いすぎで肝硬変になり、「八ツ手屋の天丼が食いてえ」と言い残して死んだ。セガレも中性脂肪四八〇という危機的状態にあるので、遠からず同じ運命をたどるであろう。

数年前から和解はしていたのであるが、ついに「八ツ手屋」の膳をともにできなかったのは痛恨のきわみである。

ところで、B級グルメのひそかな楽しみである「まずい店」についても語っておこう。ただし、どうしようかとよくよく迷った末、やっぱり店名は伏せる。

B級店のうまいまずいを見分ける基準として、店頭の造作は重要なポイントだ。一見してうまそうに見える広告過剰の店はたいていまずく、本当にうまい店はシンプルかつ清潔な印象がある。

数年前の冬の晩であった。駿河台上のホテルにカンヅメになっていた私は、突如としてラーメンが食いたくなった。海外旅行者やホテル住いの人が誰でも感ずる「あっ、ラーメン食いてえ」という、やむにやまれぬ衝動に襲われたのであった。

ところが折しも日曜日で、神田界隈の行きつけの店はみな休みである。この際ラーメンが食えるのならどこでもいいという、ぞんざいな気持ちになったのがいけなかった。

さんざ店を探し、小川町付近の路上に佇《たたず》んで周囲を見渡すと、道路を挟んだ向こう岸に、まるでおいでおいでをするようなケバいネオンがあった。看板には「サッポロラーメン某」とある。日ごろから当節流行の「九州とんこつ」をひそかに憎んでいる私は、たちまちわが身の幸甚《こうじん》を感じて信号を渡った。

空腹のあまり店の凶相に気付かなかった私は愚かであった。ケバケバしいネオン、いかにも「うちはうまいぞ」といいたげな造作、ガランとした店内、しかもカウンターの中では、店員たちがタバコを喫いながらムダ話をしていた。ほとんど擬餌鉤《ルアー》の印象があった。

だが、ホテルのA級グルメに食傷していた私は、飢えた魚であった。

みそラーメンを注文し、フト異臭を感じた。まずいラーメン屋はスープの管理が悪いので必ず腐臭がする。だが神田という街の味覚の水準を信じている私は、この目抜き通りにまずい店などあるはずはないと思った。

ひどく時間がかかったように記憶する。たかだかラーメンを作るのであるから、それほど手間どるはずはないのであるが、要するにそう感じるほど、店員たちはムダ話をしながらダラダラと調理をしていたのであった。

はたせるかな、でき上がったラーメンはものすごくまずかった。どのくらいまずいかと言うと、ドンブリを前にしたとたんオエッとするような悪臭がした。スープにはかつての神田川を彷彿《ほうふつ》とさせるような異物が浮いており、てんこ盛りのモヤシは死骸の山のように真黒であった。

しかし、みてくれはまずそうでも実は思いのほかうまい、ということは多々ある。たぶんその手合であろうと信じて、泥河のごときスープをひとくち含んだら、本当にまずかった。私はガキの時分、お茶ノ水の土手から足を滑らせて神田川に落ちた経験があるのだが、たちまちそのときの恐怖をフラッシュ・バックしちまうぐらいまずかった。

で、なるたけスープには触れぬよう、腐ったモヤシも選りわけて麺をたぐった。ところが口に運ぶ間もなく、茹《ゆ》ですぎでクタクタの麺は割り箸の上からボロボロとちぎれ落ちるのであった。

店員たちの手前、文句も言わずに半分も食った私はイキな男である。ただし、これ見よがしにその場で胃薬を飲んでやった。

あんまりまずかったので、その後親しい編集者を一人ずつ連れて行った。みんなあまりのまずさに呆然とし、今度会社のやつらに教えてやると言った。

その店が営業を続けられる理由は、たぶんこれだと思う。

世の中何でもそうだが、うまい話よりまずい話の方が面白い。B級グルメ党が古傷を語ればキリがないのである。

この手の続きはいずれまた。

魔について

「魔がさす」という言葉がある。

フト邪念が起こって、理性的な思考と行動を一瞬にしてくつがえしてしまう、というほどの意味であろう。

ということは、日ごろから感情の赴くままに生活をしているろくでなしは魔のさしようもないのであって、魔がさすのはある程度上等な人間なのである。

したがって、やや強引な論理ではあるが、私の場合しょっちゅう魔がさしている。

朝は七時に起床する。仮に徹夜仕事をして六時半に寝ても、ふしぎと七時にはいったん起き出す。愛犬パンチ号を連れて同じコースを散歩しつつ、綿密に一日の計画を立てる。

私は苦労の分だけ性格が現実的であるから、この際できそうにない計画は立てない。「なんとかできそう」もメッタには考えず、「楽にできる」という程度を、自分自身と約束する。

たとえば、

①午前中は「勇気凜凜」の原稿を書く。

②昼メシはアッサリとモリソバをいただく。

③午後は心安らかに新聞連載小説のための資料を繙《ひもと》く。なお講談社のO氏から電話があった際には、決してイライラせずにやさしく労をねぎらう。

④夜はアシュケナージのショパンを聴きながら、おうすに小布施堂《おぶせどう》の落雁《らくがん》をひとつだけいただき、早めに寝る。

——と、この程度のまこと「楽勝」の計画なのである。

しかし、現実にはこれがどうなるかというと、

①午前中は「勇気凜凜」を書こうと思ったが、フト魔がさして寝てしまう。

②起きたとたん思考停止のままフト魔がさして、天丼の大盛りプラスたぬきうどんを食ってしまう。

③午後は当然「勇気凜凜」が押しになり、イライラと机に向かっているところに講談社のO氏から電話が入り、つい魔がさして「バカヤロー」と怒鳴ってしまう。

④夜はアシュケナージを聴くには聴くが、途中で退屈してしまい、銭湯に行って演歌を唄う。さらに、発汗の結果飢えと渇きを覚え、ウーロン茶のボトルを片手にトップスのチョコレートケーキ一本食いをしてしまう。とたんに創作意欲が湧き、徹夜仕事に突入す

る。

――と、まあだいたいこういう結果になる。

日々、悪魔との戦いである。

ところで、かように私の生活をあやうくする「魔」とは、いったい何者であろうか。

語源は梵語《ぼんご》の「māra」である。これが「魔羅」と音訳され、省略されて「魔」という概念になったと考えられる。それにしても「魔羅」という言葉の何と意味深いことであろうか。

この語源からすると、「魔がさす」の「魔」は、キリスト教でいうところの神に対する「悪魔」というより、仏教的な「煩悩」に近いものと考えてまずまちがいはなかろう。さすれば前述の私の行動も理解しやすい。いや、ほとんど説明がついてしまう。

さて、実は昨日（六月二日）のこと、私はフト魔がさして大枚三百四十二万円をドブに捨ててしまった。

いきなりこう言っても全然わからんであろうから、詳細な説明を加える。

六月二日と言えば、年に一度のダービーである。ダービーと言えば私が本誌6月8日号において予想を掲載していたことをご記憶の読者もおられるであろう。そう、私は本命をダンスインザダーク、対抗をフサイチコンコルド、単穴をメイショウジェニエと予想していたのであった。おそらく本稿の愛読者の中には私を信じて大儲けしちまった方も多々おられるであろうと思う。

　正直のところ、私はこの予想に自信に近いものを持っていた。根拠を述べれば専門的になるので省略するが、三頭を選んだ簡単な理由はそれぞれ6月8日号に書いてある。

　何たって年に一度のダービーである。おりしも最新刊『蒼穹の昴』が発売後一ヵ月にして四刷十三万部という信じ難い売れ行きを示し、気が大きくなっていた。

　そこで私は、ダンスインザダークvs.フサイチコンコルド（③—⑬34・2倍）の馬券に大枚十万円、ダンスインザダークvs.メイショウジェニエ（③—⑮55・6倍）に同じく十万円を投下した。のではなく、しようと思って府中に行った。

　パドックで観察したのち、自信は確信に変わった。で、幸福はみんなで分かち合おうと思い、たまたま出会ったA紙のKとか、B誌のHとか、フリーカメラマンのNとか、その他よく知らない人にまで「勝負だ勝負だ」と言った。ついでにパソコン投票をしている友人にまで電話をし、場外にウロウロしているやつの携帯にまで「勝負だ勝負だ」と連絡をした。

　少くともその時点までは、綿密な計画通りに、理性的に論理的に、私は三百四十二万円の配当を受け取るはずだったのである。

　ところが、招待席に戻るみちみち、フト魔がさした。

　フサイチコンコルドはキャリア2戦の馬である。それはまあ、海の向こうの怪物ラムタラの例もあるのだから良いとしよう。しかし、前走後熱発をしたという情報が、どうにも気にかかった。

東スタンドのゴンドラ席に昇り、投票所の前まで来て、さらに魔がさした。フサイチコンコルドを消せば、馬券はダンスインザダーク vs. メイショウジェニエの一点勝負となる。オッズは55・6倍を示している。予算の二十万をこれに集めれば、配当は何と千百十二万円になる。

魔がさしたときの心理の常として、思考がものすごく短絡的になり、つまりそれまで研究に研究を重ねたフサイチコンコルドのレース分析とか、血統的背景とか、さまざまの情報とか、そういう論理的予測はいっさいご破算になった。魔に冒された頭をめぐるものはただ、「千百十二万円は三百四十二万円よりもデカい」という、単純な結論のみであった。

さらにこんなことを考えた。

（来週の「勇気凜凜」のタイトルは「ふたたび快挙について」であろう）、と。

かくて私は、ダンスインザダーク vs. メイショウジェニエの一点勝負馬券を買っちまったのであった。

ゴンドラ席のベランダに立った私は、栄光の風に酔いしれていた。ほとんどてめえが表彰台に登った気分であった。

第63回日本ダービーのスタートが切られた。展開はまったく私のシミュレーション通りに進んだ。

馬群が直線に向いた。武豊騎乗のダンスインザダークが抜け出す。バラけたインコースに名手河内のメイショウジェニエが入った。

「できたッ！」

と、私は叫んだ。前半千メートル1分1秒4というペースを考えても、この二頭の上りの脚を差し切れる馬はいない。

しかしそのとき、疾風のごとく飛んできた一頭の馬。な、なんだ！　フサイチコンコルドではないか。よし。いやよくない。

「やーめーろーッ！」

と、私は叫んだ。

ゴール前百メートルで、フサイチコンコルドはダンスインザダークを並ぶ間もなくかわした。メイショウジェニエは三着で入線した。

藤田に差された武豊のダービーは終わった。

魔に差された私のダービーもこうして終わった。

ロビーの椅子に座ってシクシク泣いていると、大勢の人が私に握手を求めてきた。要するに、私の予想を信じて大勢の人がお金持になったのであった。

悲劇を知ったS社のN氏が、何だかアメ玉をくれる感じで私を慰めてくれた。

「まあ、こういうところで運を使わない方がいいですよ」

物は言いようであるが、私は妙に納得した。

「魔」はおのれのうちなる煩悩の異名であろう。積年の努力と研鑽《けんさん》のたまものである結論を、瞬時にしてくつがえすものなどあるはずはないのだ。

ともかく、みなさまおめでとうございました。

ともかく、みなさまおめでとうございました。

ふたたび喫煙権について

六割の読者のためにこの稿を書く。

おおむね四割の読者にとっては、読むだにおぞましいことであろうから、どうかパタパタあおいだり、鼻をつまんだり、嫌味を言ったりせずに、ページを飛ばしていただきたい。

これより私は、法治国家における正当な権利の主張をする。あわせて、公衆道徳と環境衛生の名の許《もと》に正当な権利を圧迫しようとする、一部の非喫煙者と、何ら法的根拠もなく彼らに加担する社会機能のすべてを弾劾《だんがい》する。

てな調子でマジメに書くと、編集部に抗議文が殺到することは目に見えているので、一服つけて気持ちを鎮めよう。タバコにはすぐれた鎮静作用がある。

過日、京都に取材旅行に出かけ、その帰途切符を購入しようとして愕《おどろ》いた。平日の午前中であるにも拘らず、「のぞみ」のグリーン車が満席であるという。

いや正しくは喫煙車（こういう呼称はない。非禁煙車と呼ぶべきか）が満席なのであった。

一日に八十本ないし百本のタバコを喫う私にとって、禁煙車（この呼称はすでに一般車と改めるべきであろう）は牢獄である。

わざわざ高い金を支払って牢獄につながれるほどアホらしいことはないし、第一成人男子の六割以上が私と同じ嗜《たしな》みを持っているのであるから、私はJRのこの不手際に食ってかかった。

「喫煙者と非喫煙者の比率がおおむね六対四であるにも拘らず、三両のグリーン車のうち二両を禁煙車に指定するとは何ごとか。その合理的説明をせよ」

私はとりたてて正義感が強いわけではない。ただし経歴上、義侠心には富んでいる。スジの通らんことは許せんのである。この際の「スジ」とは、タバコを喫うか喫わぬかなどということではなく、JRの用意した車両比率の矛盾についてであった。

「ましてや一般車十六両中、十両が禁煙車であるという規定の理論的根拠を示せ」

私の剣幕に駅員はたじろいだ。いやおそらくは、合理的説明など何ひとつできないのであろう。説明がつかんということは、JRが現実的なサービスを無視して、何ら法的根拠のない「社会道徳」とやらにおもねっていると考えるほかはない。私はこういうきれいごとが大嫌いだ。

私のような説教オヤジの不平には慣れていると見えて、カウンターの向こうの駅員たちはみな、またか、という感じで苦笑した。

「笑いごとではなかろう。私の納めた税金は諸君の借金の穴埋めに費消されている。それも国家の大計のため止むなき結果であったと思えばこそ、私は甘んじて税金を納め、なるたけ私鉄には乗らず、全然使わぬＶｉｅｗカードも作り、あまつさえ昨年秋には『小説すばる』誌上に、『鉄道員《ぽっぽや》』と題するぶっちぎりの国鉄賛美小説すら書き下ろした。にも拘らず、喫煙者を乗せる座席がないとは何事か。これは単なるサービスの怠慢だ。時流におもねって利用者の意思を無視しているだけだ。民間企業なら、もっとマジメに商売をしたまえ、バカヤロー！」

ドン、とカウンターを叩くと、さすがに奥から年配の駅員が出てきた。

彼が言うには、六割という喫煙者の比率は成人男子におけるものであり、新幹線には女性も子供も乗るのだから、全国民の喫煙比率に従い、かように配分したのだと、一応は合理的な説明をした。

ふつうの説教オヤジなら納得もしよう。しかし私はふつうではない。

「何というアバウトな商売だ。そんな薄弱なデータを採用しているのなら、ＪＲは二度つぶれる。バカバカしくて話にもならん！」

私が禁煙車の切符を買って乗車したのは、議論に敗れたからではない。一刻も早く帰京しなければならぬ事情があった。当日中に片付けねばならぬ原稿が待っており、夜には理由なき宴会に参加せねばならず、拾ったばかりの仔猫にもたまらなく会いたかった。

本誌の読者の多くには、駅員の説明の愚かしさが理解できるであろう。平日午前中の「のぞみ」に、女子供は皆無と言って良いほど乗ってはいない。乗客のほとんどは、喫煙率九割とおぼしきビジネスマンである。

当然のことながら三両のグリーン車のうち一両しかない「喫煙車」は満席であり、二両の禁煙車は何と五十数席も空いていた。もちろんその禁煙車にも、牢獄を承知の気の毒な人々が少なからず乗っているであろう。まことにアバウトな商売と言うほかはあるまい。

がまんして寝ちゃおうと思ったのだけれど、早くも関ヶ原を通過したあたりでガマンがならなくなり、デッキに出た。タバコを喫う場所を選ばねばならないということ自体、みじめである。公明正大な人物である俺が、何でコセコセと人目を忍んでタバコを喫わねばならんのだ、と思いつつ一本をくわえたとたん、女性乗務員に叱られた。

このデッキは禁煙だと言う。じゃあどこで喫えばいいのだと訊ねると、四号車のデッキには灰皿が設置してあります、そちらでどうぞ、と答える。ブスであったら即座に張り倒すところであったが、タイプであったので「ソーリー」と微笑んで握手をした。

私の乗った車両は十号車である。四号車は遥かに遠い。しかもその間、「喫煙車」はすべて満席であり、地獄のような煙に包まれている。禁煙車はガラガラで、神々のまします沙庭《さにわ》のように清浄な気が満ちているのであった。

四号車のデッキにはガマンしきれなくなって遠征してきたオヤジが、十人もタバコを喫っていた。どの表情にもさしたる不満は見当らず、むしろ諦観が感じられたのは、あらゆる場所でのこうした仕打ちに慣れているからであろうか。彼らこそがこの国の豊かな生活を支えているのだと考えたとき、私は怒るよりも暗澹《あんたん》となった。

この話には後日譚《ごじつたん》がつく。

帰京して数日後、私は同じくヘビー・スモーカーの編集者に、かくかくしかじかと事の顚《てん》末《まつ》を語った。場所は新宿区早稲田界隈のとある料理屋のカウンターである。

予約してあった止まり木に座り、まずは一服くわえながら、「そりゃまあ相対する権利の共存というのは、けっこうなことですよ。民主社会の要件ですよ。しかし十六両中十両が禁煙、グリーン車三両のうち二両が禁煙はないでしょう。われわれにとってタバコというものは趣味嗜好を越えた生活の一部、人格の属性なのですからね。そうは思いませんか」

編集者はロングピースをくゆらせながら、わが意を得たりと同調した。

「ごもっともです。百歩ゆずったにしろ、分煙に際しては六対四の比率を守っていただきたいものですな」

「まったくです。腹が立ちますよ」

と、私がセブンスターに火をつけたとたん、隣でワインを飲んでいた男が、まことに嫌味たらしい関西弁でこう言った。

「こっちはその四割ですのんや。タバコ、やめてくれへんか」

てめえ、と、とっさに気色ばむ私の肩を編集者が押さえた。ほとんど売られたケンカであった。本来ならばウムを言わさずボッコボコにしてやるところであったが、大増刷をしていただいた編集者の手前、私はよく怒りに耐えた。

とりあえず詫びを入れ、カウンターの端に席を移して、私はしばらく考えたのである。

ひとつの権利を主張するためには、その主張によって相反するもう一方の権利が圧迫されることを斟酌《しんしゃく》せねばならない。それが共和というものである。その民主社会の原理をわきまえず、ひたすら喫煙を悪だと決めつけるのは、たとえそれが世論の趨勢《すうせい》であるにしろ許されることではあるまい。タバコを喫うか喫わざるかは個人の選択に委ねられているのであって、ことさら議論をすることでもないし、ましてや「ここでは喫うな」と言ったり言われたりする筋合のものでもなかろう。副流煙を怖れるのであれば、すべからく彼こそが席を移動するべきなのである。

男は勝ち誇った顔をしていた。だが、そうではないのだよ。私の方がいくらか、共和の精神に富んでいるだけだ。

三たび忘却について

おそまきながら積年の夢であった作家デビューを果たして、以来四年半が過ぎた。一文にもならぬ小説を書き続けた時代が余りに長かったせいか、あたかも渇《かつ》した者が水を得たように、ガツガツと原稿を書いている。省《かえりみ》れば、四年半の間かたときも机の前を離れなかったような気さえする。

結果、作品も次第に版を重ねるようになり、有難い文学賞もいただいた。子供のころから夢に見続けたステージに立つことができた私は、世界一の幸福者だと思う。

今しがた出版社の仕立ててくれた車に送られて、真夜中の書斎に戻ってきた。「勇気凜凜」の原稿を書こうと筆を執ったところ、何だか自動書記のような感じでこの文章を書き始めてしまった。

「忘却について」というタイトルは三度目である。銀座の文壇バーを三軒もめぐって調子に乗り、運転手さんにまで自慢話をし、書斎に入ったとたん一夜の言動の愚かしさを悔やんだ。自分は忘却していると感じたのである。急激に訪れた物心両面の豊かさの中で、私は過去の労苦のことごとくを忘れ去っている。卑しいことである。これこそ真に貧しいことである。

六畳の書斎は夥《おびただ》しい書物に囲まれて、壁も窓もない。褐色に灼けた物言わぬ背表紙が、私を見据えている。

谷崎潤一郎の『新々訳源氏物語』は、高校生のころバイト代をはたいて買った。胸をときめかせながら、全六巻を原稿用紙に書写した。

三島由紀夫の『文章読本』は早世した先輩の形見であり、その隣に収めてある丸谷才一の『文章読本』は、昼飯とひきかえに買った記憶がある。

黙阿弥《もくあみ》全集を買ったのは米も買えないどん底の時代で、家人を泣かせた。

永井龍男の短篇集と鷗外選集はバイブルのようなもので、手垢にまみれ、びっしりと付箋の付けられたまま並んでいる。

ぼろぼろの広辞苑は、私立中学に合格したとき母が買ってくれたものである。母は夜の商売をしながら、私に最高の教育を授けてくれた。

書物は捨てたことがなく、売ったこともない。つまり、私の過去そのものである。それぞれのもたらした福音は、私の中で血肉となっているのであろうが、それらを誠実に学んだころの自分を、私は忘却しようとしている。何という愚かしさ卑しさであろうと思った。

ところで、私事はさて置く。

本稿に書かねばならないと思っていた新聞の切り抜きが、机上にある。「市ヶ谷駐屯地保存訴え棄却」と題する、最高裁判決の記事である。

ほんの小さな記事であり、テレビのニュースにもならなかったものであるから、ここにその全文を書き写す。

旧陸軍参謀本部などが置かれ、極東軍事裁判（東京裁判）の舞台にもなった東京都新宿区の陸上自衛隊市ヶ谷駐屯地一号館の取り壊し問題で、保存を求める市民団体が国を相手取って取り壊し決定の取り消しを求めた行政訴訟の上告審で、最高裁第二小法廷（河合伸一裁判長）は十七日、訴えを門前払いにした一、二審判決を支持し、市民団体の上告を棄却する判決を言い渡した。

上告していたのは、「市ヶ谷台一号館の保存を求める会」会長の宇野精一東大名誉教授ら。「一号館は歴史的文化的な史跡であり、国には保存する義務がある」と主張していたが、最高裁は、「取り壊しは防衛庁の内部的な政策決定であって、行政訴訟の対象となる公権力の行使にはあたらない」とした一、二審の判断を支持した。

日本人は忘却する民族であると、よく言われる。いやなことは忘れよう、屈辱と貧困の記憶は忘れ去ろうと、その民族性をいかんなく発揮した結果が、これだ。

かつて一自衛官として市ヶ谷台上に青春を過ごした私は、一号館の物言わぬ壮厳さを、いまだありありと胸にとどめている。その胎内に何度も座り、回廊に半長靴を踏みしめた一人の「軍人」として、最高裁の判決に異を唱える資格はあると思う。

あの建物は永遠に保存しなければならない歴史的遺産である。原告団の主張に補足をさせてもらえるならば、「国には保存する義務があり、国民には忘却してはならない義務がある」と、私は考える。

あの建物とともに忘却してはならないものは、少くとも二つある。ひとつは、市ヶ谷台一号館が、かつて世界を相手に戦った日本軍の中央指揮所であったという事実である。戦《いくさ》の是非を問うつもりは毛頭ない。決して繰り返してはならない殺し合いの、永久のいましめとして、不戦憲法をいただくわが国民は「平和祈念資料館」を持たねばならない。

もうひとつは、あの建物が極東軍事裁判の法廷であったという事実である。勝者が敗者を裁くという獣に等しい蛮行が、わずか五十年前に一号館を法廷として行われたのである。

市ヶ谷法廷において死刑を宣告された「A級戦犯」は七名であるが、それを頂点として九百三十四名（注・朝日新聞社資料による。正確な数字は明らかではない）にのぼる「BC級戦犯」が、アジア各地の粗末な法廷で、十分な審理もなされぬまま死刑に処せられた。

一号館は戦という愚かしい行為と、報復裁判というさらなる愚かしい行為とを、その優美な建築のうちに記憶していた。

この記憶について、「国には保存する義務がある」とする原告団の主張の、いったいどこが不当なのであろうか。「国民には忘却してはならない義務がある」とする私の補足は、はたして詭弁《きべん》であろうか。

判決は言う。「取り壊しは防衛庁の内部的な政策決定であって、行政訴訟の対象となる公権力の行使にはあたらない」、と。

これはちがう。「防衛庁の内部的な政策決定」は、防衛庁が官庁であり、職員や自衛官が公務員である限り、明らかに「公権力の行使」である。もしそれが「行政訴訟の対象」になりえないのであれば、すべての官庁や公的機関は、国民の意思などまったくお構いなしに、勝手に「内部的な政策決定」に基づいて行動しても良いということになる。これほどばかばかしい、子供だましの、言葉の遊びのような判決を私はかつて知らない。

戦争も戦争裁判も、もはや取り返しようのない歴史である。しかし、だから忘れて良いというほど軽い歴史ではあるまい。

現実に多くの国民が忘れてはならないことを忘れてしまったからこそ、戦後五十年を経た今日でもなお、さまざまの問題が起きているのではないのか。過去の労苦を忘れて繁栄したわれわれが忘れても、基地問題は沖縄県民にとって、忘れようもない現実なのである。朝鮮人慰安婦の問題にしても然《しか》り、中国残留孤児にしても然《しか》り、われわれが勝手に忘却したものは、余りにも多すぎる。

「防衛庁の内部的な政策」について、その詳細を知りたいと思うのは、ひとり私ばかりではなかろう。忘れてはならない歴史の遺産を破壊してまでも、そこに新たな自衛隊の指揮所を建設せねばならない正当な理由を、私は知りたい。

また、自衛隊のOBとして、こうも考える。もし一号館の取り壊しが、純然たる「防衛庁の内部的な政策決定」であるのなら、彼らは世界を相手に戦った矜《ほこ》り高い軍隊の末裔《まつえい》ではない。戦勝国の命令によって作られたおもちゃの兵隊である。おもちゃに国民の生命が守れるはずはないから、そんなものは誰もいらない。

やっと小説家になった。みじめな生活は二度と繰り返したくはない。だが、一生懸命に努力を続けることが、現在の私を保障しているわけではないのだ。

胸をときめかせて書き写した源氏、米のかわりに買った黙阿弥全集、手垢にまみれた鷗外、母が与えてくれたぼろぼろの広辞苑――それらを永遠に座右に置き、労苦の時代を忘れずにいることこそが、私の現在と未来とを約束してくれるのだと思う。

ちがうであろうか。

摩天楼と温泉について

高い所が好きで、しばしば副都心の摩天楼に登る。

妙な趣味ではあるが、ひとりで最上階のラウンジに上がり、ペリエ・ウォーターをカクテルのようになめながら、ぼんやりと夜景を眺めるのである。

横顔の美しい、無口な女性がかたわらにいればなおいいが、ひとりもまたいい。窓際の席で、手の届きそうな星を見、ピアノに耳を傾けて二時間も過ごす。

うらぶれた中年男がひとりでそうするのは怪しいので、ボーイには「あとから連れが来ます」と嘘をつく。席を立つときにネクタイをゆるめて時計を見、溜息をひとつつけばこの嘘はばれない。

暇さえあれば書物を開いてしまうのが職業上の悲しい習性だが、ロマンチックなランプシェードの灯りではまさかそれもできないので、ひたすらぼんやりと夜景を眺める。そうしているうちに、猥雑な頭の中から活字がこぼれ落ちて行く。

私を縛《いまし》め、呪い続けていた文字たちがひとつずつ天の彼方に飛び去って、星になり、街の灯になる。小説家の頭から文字を奪ってしまえば、何も残らない。眠りの中ですらも忘れることのできない言葉の星々。それらがみな本物の星になってしまえば、至福の安息がやってくる。そうしてじっと、来るはずのない人を待つ。

いつであったか、私のこの妙な趣味の、もうひとつの理由に思い当たったことがあった。悲しい理由であるが、たぶんはずれてはいない。

私は新宿の摩天楼のきわみから、喪《うしな》われたふるさとを探していたのである。東京生れの東京育ちで、多摩川を渡れば親類のひとりとてなく、もちろんその先に住居を持ったこともない私にとって、摩天楼から望む夜景はせつない望郷に他ならないのであった。

四十四年の間に、二十回も転居をくり返した悪い人生である。そのうちのいったいどれが故郷であるかとも言えぬほどであるが、いずれにせよ、それらはことごとくビルの谷間に消えてしまった。

たとえば——高層ビルのひしめくこの副都心のあたりにしても、かつては私のふるさとであった。

その昔、ここには巨大な浄水場があった。今では記憶にとどめる人もそうはいないであろうが、青梅街道から甲州街道に至るまでの区域、つまり現在の新宿中央公園を含む副都心の全域は、淀橋浄水場と呼ばれる給水施設だったのである。

私の生家は中野だが、浄水場をめぐる淀橋や柏木の一帯に何軒もの親類があった。幼いころ、従兄弟たちと施設の柵をくぐり抜け、浄水場の森で遊んだものだ。

足元の夜景を目でたどる。ふと、中央公園の闇の向こうに、かつて十二社《じゅうにそう》という温泉があったことを思い出した。

副都心に温泉と言えば、多くの読者は訝《いぶか》しむであろう。だが、そこにはたしかに、れっきとした天然温泉が湧出しており、山の手の住民たちの憩いの場になっていたのだ。

あれはいったいどうなってしまったのだろうと私は思った。見下ろすかぎりでは、中央公園の西側にもぎっしりとビルが建てこんでしまっている。あるはずはないと思うのだが、だとすると温泉はビルの谷間に、永久に封じこめられてしまったのであろうか。

時刻はまだ早かった。幼いころ、祖母に連れられて何度か行ったことのあるその温泉を、探してみようと私は思った。

摩天楼のエレベーターを下りながら胸がときめいた。過ぎ去った時間をさかのぼるように私は地上に降り立ち、聳《そび》え立つ摩天楼のはざまを西に向かって歩いた。公園の木立ちからは夜の霧が流れ出ていた。

意外なことであろうが、東京には元来、温泉が多い。近代的なクア・ハウスになった平和島は良く知られているが、そのほか浅草の観音様の脇にも、六本木の交差点にほど近い麻布十番にも、れっきとした天然温泉が今も湧き出ている。ことに大田区や品川区の一帯には銭湯の形をした天然の温泉がたくさんあるのだ。

しかし、競い立つ新宿副都心のスカイ・スクレーパーの直下のことである。そこに今もふつふつと温泉の湧き出ている姿は、どうしても想像ができなかった。

甲州街道の西参道交差点、つまりかつての新宿ガスタンクの跡地に建つパークハイアットホテルから青梅街道に抜ける道路は、旧淀橋浄水場の西端にあたる。高層マンションの建てこんだ街路を歩く。往時をしのぶよすがは何ひとつなかった。

たしかこの通りぞいにあったとは思うのだが、行けども行けどもビルばかりである。何しろ私が確認しているのは三十年以上も前のことなのであるから、まさか「このあたりに温泉はありますか」と尋ねる気にはなれない。交番があったのでよっぽど訊いてみようかと思ったが、巡査は二十代の若さに見えたのでやめた。万がいち巡査も知らない昔話であったなら、たちまちその場で白髪の老人になってしまうような気がして怖ろしかった。

裏道まで探しあぐね、やっぱり埋められてしまったのだと諦めた。ところが、摩天楼に向かって帰りかけた信号のきわに、とうとう発見したのである。

それはビルの地下階段の入口に、ひっそりと小さな看板を灯していた。十二社天然温泉――通行人はたぶん誰も信じはしないであろう。信じようと信じまいと、ここには昔から温泉が湧いているのだよと、小さな看板は呟いているようであった。

私は階段を下りる前に、ガードレールに腰をかけて煙草を一服つけた。振り返れば摩天楼の林が、胸や頭に赤い灯火を点滅させて競い立っていた。中央公園から湧き出た夜の霧が、やっと見つけたなとばかりに、街路を流れ去って行った。

螺旋状《らせんじょう》の階段を地下深く下りると、銭湯でもサウナでもないふしぎな温泉が私を待っていた。

千八百円の入湯料は話の種にしても安すぎる。だが館内はがらんとしてひとけがなかった。

褐色の湯に浸りながら、これは夢ではなかろうかと私は思った。摩天楼のラウンジでぼんやりと夜景を眺めているうちに、ありもせぬ過去の世界に迷いこんでしまったような気分だった。

しかし夢ではない。ふるさとも学《まな》び舎《や》も、都電も浄水場も、瓦屋根もガスタンクも映画館も、みなビルの谷間に消えてなくなってしまったが、十二社温泉は今も副都心の地下の湯舟に、こんこんと湧き出ているのであった。

パークハイアットのトップラウンジでグラスを傾け、帰りがてらにひとっ風呂——そんなおしゃれなデートでもしてみようか。

さて、話は突然と変わるが、ついに本稿が単行本として上梓される運びとなった。毎週ヤマのようなファン・レターをいただきながら、作家の筆無精でいっさいお返事を書いていない私にとっても、たいへん喜ばしい限りである。

熱烈なるご要望にお応えして、もっと早く刊行する予定ではあったのだが、マジメな小説『蒼穹の昴』と、お笑いエッセイ『勇気凜凜ルリの色』が同時刊行ではうまくない、順序が逆ではもっとまずい、という版元の配慮により、長らくお待たせしてしまった。その間、編集部に対してほとんど督促状に近いお手紙、脅迫に近いお電話、ついには無言ファックスまで寄せて下さった全国の愛読者の皆様には、伏してお詫びを申し上げる。

とりあえず第一回から第五十回までをひとまとめとし、無修整ノーカット版で来たる七月十日、一斉に発売される。ただし、初版部数には限定があり、本稿を最も面白がっている版元社員や出版関係者がとっさに買いしめてしまうおそれもあるので、なるたけお早目に買われた方がよろしいかと思う。

他人事のように言うが、ゲラ刷りでまとめて読んだところ、五十倍どころか五百倍は面白かった。この千六百円は、十二社温泉の千八百円と同じぐらい安いと思うのだが。

カルチャー・ショックについて

生れて初めて、北海道というところに行った。

少年時代から勝手気儘《きまま》な独り旅を好み、長じてはしばしば三度笠をかぶり、現在もいわゆる旅先作家であるというのに、なぜか北海道にだけは渡ったことがなかった。

まこと波瀾万丈の人生で、極楽にも地獄にも行ったが、北海道にだけは行ったことがないというのは、われながら意外である。

ただし遊びではない。れっきとした取材旅行である。JRAからのオーダーで、小説なんぞはたいがいにして牧場訪問をし、帰りがてら札幌記念にドンと張りこんで売上に協力せえ、というわけだ。

折しも出版各社からのオーダーは後も先もわからんくらい猖獗《しょうけつ》をきわめていたのであるが、私の場合なぜか講談社よりも文藝春秋よりも、日本中央競馬会との付き合いが古く、いわんや「週刊現代」よりも「オール讀物」よりも、「優駿」編集部との縁《えにし》が深いので、あらゆる仕事に優先してこれを引き受けた。

初めての北海道。久方ぶりの飛行機。聞くところによるとそこには梅雨というものがないらしい。カニや魚がめっぽううまく、女性はおおらかで美しく、何でもススキノとかいう歓楽街は、新宿と銀座と渋谷を一箇所に集めたようなパラダイスであるという。

有頂天になった私は京浜急行川崎駅から思わず快速特急に飛び乗ってしまい、あれよあれよという間に蒲田《かまた》を通過して次の停車駅品川から再び引き返すという愚挙を犯した。

知る人ぞ知る遊園地マニアの私は、ジェットコースターを好むがティーカップやマジックハウスを嫌う。つまり速度には快感を覚えるのだが、回り物には弱いのである。かつて後楽園の「魔法のじゅうたん」に搭乗中あからさまにゲロを吐き、機械を急停止させたという逸話は本稿にも書いた。

ということは、私にとって飛行機はバクチに等しい。離着陸は快いのだが、天候の次第によっては大変なことになる。

幸い気圧は安定しており、私は楽しい旅行気分のまま新千歳空港に降り立った。

北海道はデカかった。余りのデカさに、ターミナルから出たとたんつい「ヤッホー!」と叫んでしまい、同行の優駿編集者をたまげさせた。

北海道は寒かった。いかに雨もよいとはいえ、六月末に気温十七度とはいったいどういうわけだ。Tシャツに麻のジャケットという私の出で立ちは、ほとんど裸同然なのであった。

予期せぬカルチャー・ショックはさらに続く。

取材地の牧場はすぐそこです、と優駿担当者は言った。東京で言う「すぐそこ」とは、たとえばソニービルから有楽町駅とか、ハチ公前から道玄坂とか、せいぜい新宿駅から歌舞伎町のことを言うのである。銀座四丁目から八丁目の間ですら、誰も「すぐそこ」とは言わない。

タクシーは猛スピードで荒野の道を突っ走る。いつまでたっても「すぐそこ」の牧場に到着しないので、場所をまちがえているのではあるまいかと私は気を揉んだ。北海道の「すぐそこ」とは、そういうものであるらしい。

それにしても、一般道を百キロ超のスピードで走るタクシーは信じ難い。前後の車間が変わらぬところを見ると、あながち伝法《でんぽう》なタクシーというわけではなく、制限速度五十キロの道路を百キロで疾走することが北海道のドライバーのマナーであるらしいのだ。

中央分離帯もガードレールもない。ということはタクシーが雨でスリップするか、もしくは対向車のドライバーが居眠りをしたら、私は即座にお陀仏、ということになる。

『勇気凜凜ルリの色』の単行本に「遺作」の黒オビを巻き、講談社がささやかな「浅田次郎ファイナルフェア」を開催するさまなんぞを想像するほどに、私は青ざめた。

ノーザンファームはデカかった。数字で聞かされても全然実感が湧かないのであるが、ともかくここだけで百二十ヘクタールの広さがあると言う。ここだけで、と言うのは、近隣に点在する社台グループの牧場を合わせれば、七百ヘクタールとかいう面積になるのだそうだ。

私にとっての「ヘクタール」という単位は、「ヘクトパスカル」とか「デシベル」とかいうのと同じで、ほとんど「不可思議」なのであった。ちなみに、広さを表わす単位で言うのなら、私は只今『蒼穹の昴』の印税を元手に「三十坪」ぐらいの土地を探している。とりあえず「ヘクタール」は「坪」よりデカい単位であるということはわかる。

面会に応じて下さった牧場オーナーの吉田勝己氏もデカかった。体もデカく、声もデカく、顔もデカい。当然のことながら、人物のデカさもただものではなかった。話すほどに何だか叱られているような気分になり、体も声も顔も完全なる四畳半サイズの私は、すっかり萎縮《いしゅく》してしまった。

牧場探訪の内容については「優駿」八月号に詳しい。

さて、ノーザンファームを後にした私の、カルチャー・ショックの旅はまだまだ続く。

つむじ風のようなタクシーは再び荒野の直線道路を突っ走り、そのまんま札幌市街へと飛びこんで行くのだから怖ろしい。しかも信号は赤に変わってから数秒の間は走り続けてもかまわぬらしく、青に変わりそうになったら即座にスタートしても良いらしい。もちろんUターンなどもどこであろうとおかまいなしで、正確に守られている交通法規といえば、一方通行ぐらいのものであった。

すべてがデカく、かつダイナミックであった。この分だとホテルの部屋は百畳ぐらいあり、ルームサービスにはホステスまで現れるのではなかろうかとひそかに期待したが、宿は全国共通規格のワシントンホテルであった。

夜も八時だというのに空が青かった。時計がブッこわれたのかと疑ったが、実は緯度のせいでいつまでたっても日が昏《く》れぬのである。

で、シャワーもそこそこに噂のパラダイス、ススキノへと向かった。

またしてもデカい。ほとんど仰天絶句のデカさである。銀座と新宿と渋谷を足したぐらいの広さというのはまあオーバーにしても、まちがいなくそれらひとつひとつの比ではない。おまけにケバい。競い立つビルにはどう見ても普通のオフィスらしきものが見当たらず、地下からてっぺんまで、窓々はくまなくきらびやかなネオンに彩られている。

そしてよく見れば、それらの遊興施設の配置には、てんで統一性というものがない。

ふつう東京の盛り場では、ソープはソープの区域に、バーはバーばかりのビルに、赤ちょうちんの飲み屋はそれらしい場所に固まっているものだ。しかし札幌ススキノの場合、まったく無作為に、まったく任意に、それらが混在している。たとえば、まことに有り得べからざることではあるが、一軒の雑居ビルにラーメン屋とコンビニとバーとソープランドとゲームセンターと焼き鳥屋が、てんでにネオンを掲げているのである。

もしかしたら札幌には警察も消防署もないんじゃねえか、と私は思った。少くとも道路交通法と消防法がないことは確かだ。

カニを山のように食らい、ウーロン茶を牛飲しつつ涯てもないススキノを偟《さまよ》い歩くうちに、私はもうひとつ、この町の特色に気付いた。

夜も更けた時刻であるというのに、ジジイがいない。禿頭が恥ずかしいくらい、若者ばかりが溢れ返っているのである。すなわち、ケバいわりには猥褻感がなく、妙に健康的な雰囲気なのであった。東京や大阪の盛り場にはありがちの背徳と犯罪の匂いが、ススキノにはまったく感じられなかった。

もしかしたら、ここは警察も消防も必要のない、理想の繁華街なのではなかろうかと私は思った。

週末の土曜と日曜を、札幌競馬場のゴンドラ席で過ごした。何だってデカいのだから、きっと配当もデカかろうという甚《はなは》だ非合理的な根拠により、馬番連勝六万円台という超万馬券を、またしてもヤマのように取った。

北海道はいいところだ。東京の猫の額の土地さがしなどやめて、札幌郊外に庭付きの家でも買うか——。

恋愛について

このテーマは、私が小説家である以上まっさきに書かねばならなかったものなのだが、何度か考えては躊《ため》らい、筆を執っては赤面し、書きかけては急激な便意に襲われたりしたあげく、やっとの思いで決心した（ここまで三行）。

私はいっけん厚顔無恥のひとでなしであるが、実はシャイである。したがって、小説を書きながらでも男女が愛を語らうシーンになると、心臓がバックンバックンと高鳴ってしまい、いざ接吻、さらにベッドインともなれば、ほとんど具体的描写を割愛して、翌朝みずいろの窓辺に小鳥が鳴いてしまうのである。

ならば恋愛経験が少ないのかというと、これは人並みにある。ただし、「あなたを愛しています♡」と口にしたことはない。

性的体験が貧しいのかというと、これは自信をもって人並み以上である。この際にももちろん「愛してるよ♡」などとは言わず、ひたすら寡黙にことをいたす。

ところがちかごろ、私の周辺におる編集者たちが声を揃えて、恋愛小説を書けと要求してきた。以下は記憶に鮮明な各社のオーダーである。
●某月某日、B社H氏。
「しっとりとした大人の恋、男女の心の機微《きび》を、ゼヒ」
●某月某日、T社S氏。
「ぶっちぎりの恋愛小説を」
●某月某日、F社H女史。
「浅田さんにはきっと胸のときめくような恋物語が書けるのではないでしょうか」
●某月某日、G社T氏。
「次の連載小説にはロマンスをたっぷりと盛りこんで下さい」

——みなさん存外、真顔であった。

八百屋に行って肉をくれと言うのは無理な相談だと思う。それとも彼らは八百屋に肉も置けと強要しているのであろうか。あるいはまた、この八百屋はもしかしたら肉屋なのではないかと勝手な想像をめぐらしているのであろうか。

かくて極道作家は、毎月恒例の京都取材旅行へと旅立った(この旅行中、京都で発生した山口組vs.会津小鉄の抗争事件は、私とは一切関係ない。念のため)。

以前にも書いたが、私は某月刊誌上に連載中の小説を、毎月京都のホテルにこもって執筆している。京都が舞台となっているので、季節を作中と同時進行させようという目論見《もくろみ》である。

祇園祭の近い古都は、やわらかな雨であった。仕事に疲れてたそがれの町に出れば、辻々にはこんちきちん、こんちきちん、と祇園ばやしが流れていた。

京都はいつも、私を任意の旅人に変えてくれる。知り合いのひとりとてないこと、それにまさる安息はない。

ヒロインの歩く道筋をたどり、ときおり気に入った街角に立ち止まって、言葉のデッサンを書き取る。

青蓮院《しょうれんいん》の縁先に腰を下ろし、雨に濡れた青苔《あおごけ》の庭を見ながら、美しい恋物語を書いてみようかな、と思った。そう、恋が遠い花火にならぬ、今のうちに。

雨に心を洗われてホテルに戻ると、長い付き合いの女性編集者が私を待ち伏せていた。

十日後に原稿を渡す約束をしている。が、当然私は約束を忘却しているのであった。おそらく私が忘却しているであろうと予測して、卒然と出現する彼女は名編集者と言える。

とっさに私は、まずいところでまずいやつに会ったと思い、彼女はここで会ったが百年目という顔をした。私たちはあたかも偶然の邂逅《かいこう》をしたかのような挨拶を交わし、ハハハと笑った。

女史は武闘派編集者としてつとに名を知られている。抜群の知性と編集センスを持つうえ、携帯電話を二丁隠し持っており、一年中二十四時間スクランブル態勢を維持し、しかも原稿を取らずんば生きてまた帰らじという気魄《きはく》が、全身に充ち満ちている。殺せば確実に化けて出るであろうという印象もある。

しかし、名編集者というものは必ず迷える作家に福音を授けてくれる。作家自身が現在立たされているスタンスを正確に察知し、とまどいから一歩を踏み出す動機と勇気とを与えてくれる。

京都からの帰途、新幹線の車中で女史と「恋愛論」を戦わすことができたのは、今回の旅における最大の収穫と言ってよいであろう。

女史は言う。

「恋の終わりに際して、泣き、騒ぎ、じたばたとするのは決まって女性ですが、別れたあとでうじうじと考え続けるのは決まって男性なのです。女性は新たな恋愛を体験すれば、記憶を喪失しますが、男性は記憶を積み重ねます♠」

ううむ、と私は唸った。まさに恋愛小説の核心的テーマである。

ちなみに女史は長い編集者生活の結果、話す言葉まで文章化してしまっており、語尾には♡が付かず、♠が付く。

しばらく考えたあとで、私は疑問を口にした。ちなみにそのときの私は徹夜で書き上げた連載小説のモードのまま、妙な言葉を使用していた。よくある現象である。

「ほしたら、何やねん。セックスと逆やんか」

「は？　どういうことですか♠」

「つまりやな、男はそのあとでカラッと忘れるやろが。女はいつまでェも、うじうじと余韻を楽しむやろ。ちゃうか」

女史はあからさまに侮蔑の目を私に向け、こいつがあの『蒼穹の昴』を書いたのと同一人物であろうか、というような顔をした。

「お答えします。浅田さんのご指摘はいわゆる生理学上の問題でありましょう。男性は種を維持するために行為のあとはさらなる行為へと移らねばならず、同様の理由から女性は受胎を促進するために肉体を安定させていなければならないのです♠」

「……さよか。せやけど、恋愛いうのんも、つまるところは生理学上の問題やあらへんのかいな」

「それは、ちがいます♠」

「どうちゃうねん。おせてや」

「恋愛を生殖行為の延長、すなわち知的進化をとげた発情だとする浅田さんのお考えは、人類の尊厳をあやうくします♠」

「そら、おかしわ。うちのパンチ君かて、お散歩の途中で牝犬に会えば、クンクンいうてラブコール送るで。犬も人もおんなしやろ」

「あの、浅田さん――」

と、女史は武闘派の目で私を睨みつけた。

「大変失礼なことを申しあげますが、もしや浅田さんは、愛の言葉を口にしたことがないんじゃありません?♠」

「え? ……いや、そないなことないけど」

「作品の中でも、愛の言葉を意識的に割愛してらっしゃいませんか。あるいはそういうところだけ、あえて象徴的な描写になさってらっしゃいませんか♠」

「……さ、さよか」

「ベッドに入ったあと、一行アケでみずいろの朝が訪れ、小鳥が鳴きませんこと?♠」

グウの音も出なかった。一行アケでみずいろの朝が訪れるというパターンは、たしか十回以上やらかしている。

愛していると口に出せない私の性格は、べつだん男性としての欠陥《けっかん》ではあるまい。ただし、その性格を仕事の中にまで持ちこむのは、私の作家的欠陥であろう。

「作家には勇気が必要だと思います♠」

「はあ……そやね。ごもっともや」

袋小路に追いつめる感じで、女史はとどめをさした。

「では、次回の短篇は、目のさめるような恋愛小説、ということで。よろしくお願いします」

♠

小説家と編集者の関係は、ボクサーとトレーナーの関係そのものだと、三島由紀夫は言った。名トレーナーはボクサーの技術的欠陥を矯正し、やがてチャンプにする。列車がトンネルに入った。暗い窓に映る私の顔は、およそ恋愛とは縁遠い。だが、おのれの趣味や性格に妥協して仕事をするほど、私は老いてはいないと思った。作家には勇気が必要だと、トレーナーはリングサイドから叫んだのだ。恋は遠い日の花火ではない。

由来について

ペンネームの由来について、よく訊ねられる。

そんなことはどうでもよかろうとは思うのだが、みなさん小説家のペンネームにはさぞかしミヤビな出典があると想像するらしく、この素朴な質問は跡を絶たない。

デビュー当初は、こうした質問をされると一人前の作家になった感じがして嬉しくなり、長々と由来を語ったものである。しかしそのうち、ばんたび同じことを訊かれるので辟易《へきえき》してしまい、「あててみろ」と言うことにした。

酒席の無聊《ぶりょう》を慰めるのには、けっこう面白い。かつてある推理作家の回答に、こういうのがあった。彼はグラスを舐《な》めながら十分も沈思したあげく、こう答えたのである。

「わかりました。浅田さんがデビューする直前、すなわちペンネームを考案しようとする直前に、かのアサダ哲也氏、新田ジロウ氏が物故されておられますね。つまり、その二つの名前の複合です。ハッハッ、どうです。図星でしょう」

　私はたちどころに頭突きをくれ、首を絞めた。いやしくもこの私が、先人の文名にあやかるような安易なマネをするはずがないではないか。

　ひよわな推理作家を失神させたのち、対面《トイメン》に座る体育会系編集者に回答を迫った。彼はグラスを置き、早くも受身の態勢をとりながら答えた。

「はい、お答えします。『浅田次郎』という名前には、どことなく侠気を感じます。おそらくはデビュー前、すなわち渡世人のころにお使いになっていた二ツ名ではありますまいか」

　私はたちまち必殺の右ストレートを繰り出し、未熟な編集者がとっさに身をかわすところを狙って、自衛隊じこみの徒手格闘術「左面打ち」をカウンターぎみにヒットさせた。

「バーカ、考えてもみろ。本名がヤバくて使えねえからペンネームを考えたんだ。もっとヤバい二ツ名をわざわざ使うわけねえだろ」

　これは本音である。デビュー当時、私がもし本名またはかつての偽名等を使用していたなら、少くとも命の保障はなかった（注・平成八年七月現在、過去の案件はすべて和解・示談・時効等が成立している。念のため）。

　不心得者に対してはとりあえず肉体的打撃を与え、しかるのちに理路整然たる説諭をたれるというのは、旧軍以来わが陸上自衛隊のうるわしき伝統である。男子の教育とはすべからくかくあるべしと、私は信じている（ちなみに、女性作家および女性編集者に対しては、かたい抱擁ののちやさしく説諭をたれる）。

で、とりあえず痛打によってシャッキリした推理作家と編集者に、私はわがペンネームのおごそかな由来を語った。

「いいか、心して聞けよ。そもそもペンネームというものにはだな、数種の付け方のパターンがある。まず第一に雅号タイプ。鷗外、漱石、荷風、などというものだ。『浅田次郎』は全然ミヤビな感じがしないから、これでないことはわかるよな。次に、モジリ・シャレ型というのがある。二葉亭四迷、江戸川乱歩、などというものだ。これもまったく関係ない。さて次に、恩師拝領型、というものがある。三島由紀夫がそれだ。新人賞の選考委員からいただいたとか、尊敬する作家の一字を拝借したとか、この手合はけっこう多い。残念ながらオレは無学歴だし、新人賞に入選して華々しくデビューしたわけでもないし、師匠もいないから、これもちがう――」

元来、私の説教はフリが長い。長すぎて本題を喪失することしばしばなのである。

「えーと、なに話してたんだっけ」

「ハイ、ご自身のペンネームの由来について」、と編集者。

「ああそうだ。そうだったな。そもそもペンネームというものはだ、多くの場合『正体かくし』『変身願望』『出世祈願』等の、甚《はなは》だ不純な目的で考案されるものなのだ。その点オレは、ウソとかテライとかミエとかが嫌いな性分であるから――」

「あのう、なるたけ簡潔に言っていただけますか。しつこいのは文体と顔だけにして下さい」、と推理作家。

鼻ヅラに正確な裏拳を見舞ったあと、私はようやく本題に入った。

「よく聞け。『浅田次郎』というきわめて簡明かつ任意的かつどうでもよさそうなペンネームには、実は聞くも涙、語るに堪《た》えぬ深く悲しい由来があるのだ。オレはな、かつて投稿魔であった。わずか十三歳のとき初投稿した『小説ジュニア』（注・昭和四十年代〜五十年代にかけて集英社が発行していた少年少女向小説誌）がボツ。続けて河出書房新社に持ちこんだ原稿もボツ。以来、不良高校生時代から三十を過ぎるまで、群像、文學界、新潮、文藝、すばる、オール讀物、小説現代と、およそ目に触れる限りの新人賞に応募したのだが、ことごとくボツッた。わかるか、この間ボツとなって哀れ音羽の煙、紀尾井町の塵と消えた原稿用紙は三千数百枚にものぼる」

「それ、自慢ですか？　自嘲ですか？」

「うむ。自慢であったのは半分ぐらいまで。以降は自嘲となり、自慰となり、しまいには自虐であったな。ところがだ、石の上にも三年というか、無理を通せば道理ひっこむというか、一念岩をも通すというか、三十歳ぐらいのとき、群像新人賞の予選を通過した」

「オオッ！　快挙ですねえ」

「そうだ。キサマのようなシンデレラ・ボーイには決してわかりはすまい。初投稿から苦節十七年目、惜しくも最終選考には残らなかったものの、例えていうならオレはそのとき、愛する人の手を握った気がした。わかるか、わかるまい。十七年も恋いこがれた人の手を、オレはやっと握ることができた。泣きましたよ。感動しましたよ。その温もりだけを心に刻んで、ジジイになるまで頑張れると思いましたよ」

「……なるほど、まさに自虐の世界ですね」

「さよう。で、さっそく事務所を飛び出し、ベンツを駆って音羽の講談社へと向かった」

「ベンツ、ですか――ちょっとイメージが浮かびませんけど」

「ま、いいじゃないか。ともかく嬉しくって、有難くって、講談社の門前に車をつけてだな、路上に気をつけをして、深々とコウベを垂れた」

「もしや当時、パンチパーマではなかったですか？　だとすると――」

「ふむ。たちまち門前にはガードマンが集まって来たな。おそらくは新手のいやがらせだと考えたのであろう。何の用かと訊かれたので、お礼参りですと答えると、彼らは何を勘ちがいしたものか全員がスッと青ざめた。不用意な発言であったと今も反省している……ところで、何の話だったっけか」

「ペンネームの由来について、です」

「ああそうだ。そうだったな」

「なるたけ簡潔に願います」

「つまり、だ。早い話が、その予選通過作品の主人公の名前が、『浅田次郎』というのだ。原稿はやっぱりボツになった。だがオレは、どうしても、その主人公の名前を音羽の煙とするのは忍びなかった。そのぐらい嬉しかったから……」

「あの、浅田さん。何も泣くことないじゃないですか」

「……直木賞も、ボツになってしまった」

「まあ、気持ちはわかりますけどねえ。ところでその群像新人賞の予選通過作品、いったいどういう物語だったんですか。すげえ思い入れがあったようですけど」

「あれは傑作であった。まあ聞け——ヒットマン『浅田次郎』が八年の服役をおえて出所する。ところが企業化した組織には受け入れられず、流れ流れてとある港町へ。そこで初恋のオカマと再会し、焼けボックイに火がついて、霧の波止場で燃えるようなくちづけをかわすのだ。しかるのち再び組織の密命を受けて拳銃を執る次郎。いけない、それだけはやめて、どうしても行くというのならそのコルトで私を殺してからにして、とすがりつくオカマ……」

気が付くと二人の姿は消えていた。

ペンネームの由来について作家に訊ねるのは、あまり良いことではないと思う。

夏ヤセについて

ひどい夏ヤセをしてしまった。

もともと暑さには弱い。気温が摂氏二十五度を越えると、はや倦怠感、脱力感、食欲不振といった症状が現れ、三十度を越える盛夏ともなれば、不眠、虚無感、勃起不全、戦意喪失、ということにあいなる。

昨年は準備万端おさおさ怠りなく一夏をホテルにこもって乗り切ったのであるが、今年はなぜかイレギュラーな仕事が多く、防衛計画の大綱も立てぬ間に猛暑となってしまった。

かつて自衛隊時代、防御陣地構築中のところを、戦車一両を含む優勢なる敵一個小隊に急襲され、あえなく全員戦死しちまった苦い経験を思い出す。たしかあれも、炎天下の東富士演習場であった。

用心しいしい仕事はとっていたのである。古い付き合いの編集者は、私が夏場に弱いことを知っているので、さほどの無理は言わなかったのである。折しも本稿の単行本『勇気凜凜ルリの色』および『天切り松　闇がたり』が続けて刊行されるはこびとなったので、この夏の戦果はこれで十分、あとはオーストラリアにでも行ってヒツジと遊ぶべい、と思っていたところ、たいそうイレギュラーなことになった。

どうしたわけか両二冊が、発売と同時にたいそう売れてしまい、やれ重版だァ、インタヴューだァ、サイン本だァ、てなことになっちまったのである。

元来私の著作は、ある日あるとき書店の棚にささやかな花を開き、ものの一週間後にはしおたれるように消えて行くことになっていた。であるからして、『蒼穹の昴』の大重版出来《しゅったい》はいわゆる狂い咲きであろうと考えていたわけなのであるが、どうやらその余波のせいか、前記二巻もよう売れた。

暑さに対する防御はまあ考えていないでもなかったが、重版についての対応策はてんで頭になかった。しかも、自衛隊除隊以来このかた営業関係が長く、現在も「トップセールスの矜《ほこ》り」みたいなものをどこかに抱いているので、つい燃えた。

考えてみれば、サインやインタヴューはともかく、ほとんど講談社販売部員になりきって書店まわりをする作家がどこにいようか。徳間書店社員になりかわって『天切り松』をよろしくと、頭を下げてモミ手をする小説家がどこにいるであろう。

こうして私は、直木賞落選のショックとはもっぱら関係なく、ひたすら営業活動のために七キロも痩せた。

嘘ではない。断じて計量ミスでもない。ナゼか競馬収支明細表のかたわらに記入してある週末の体重（馬体重ではなく私の体重）は、六月三十日札幌記念当日には六十八・五キログラムであり、一ヵ月後の第二回札幌最終日「札幌3歳ステークス」当日には、六十一・四キロなのである。

このペースで行くと次週の函館開催にはへたすりゃ六十キロを割るというおそれすらある。もし私が馬であれば、わずか一ヵ月の間の七キロ減は五十キロ〜六十キロ減に相当するであろう。これは異常である。

札幌→京都→銀座と、ハードスケジュールをこなしているので、輸送べりかとも思うが、環境の変化にはもともと対応性がある。まさか四十四歳馬にして発情期を迎えたわけはあるまい。やはり夏バテの上にイレギュラーな営業活動がたたったのであろう。一種の調教ミスであろうか。サウナの入りすぎにより例年に増して発汗がひどく、食中毒を警戒するあまりカイバ食いも悪く、エアコンがぶっこわれてしまったので厩舎の寝心地は劣悪なのである。

ところで、私は数年前に「高脂血症」を宣告されて以来、ダイエットにこれ努めてきた。「とりあえず六十キロを目標にしましょう」と医者は言ったが、誓いはほぼ五日後には破棄され、トップスのチョコレートケーキ一本食いを始めてしまった私であった。

これはいかんと反省して、しばしば糖分と脂肪分を控えたのだが、やはり五日後にはトップスのチョコレートケーキを一本食うというていたらくを、数年間続けてきたのである。宣告前には一日一本を日課としていたので、まあ努力といえば努力ではある。

それを考えれば、今回の夏ヤセは快挙であると言えよう。何しろさしたる努力はせず、任意の生活がはからずもダイエットを成功させたのである。


——さて、前行までを書いたところで私は何だかものすごく得をした気分になり、突如として銭湯に行ってきた。

いま書斎に戻って続きを書き始めたところである。まずはご報告。八月二日午後四時二十分現在、馬体重じゃなかった私の体重はさらに減少し、ついに夢の六十キロを計測しておったのである。

たしか医者は、六十キロになれば脂肪肝は必ず改善されると言っていた。うむ、そういえばちかごろ、歯を磨くときオエッとはならず、腹部の湿疹《しっしん》も出ず、皮膚の色ツヤも良い。

思えば六十キロという体重は、今を去ること四半世紀前の陸上自衛官時代と同じである。高カロリーの糧秣《りょうまつ》をくらい、山川を跋渉《ばっしょう》してそれを余すところなく燃焼させていたころの、理想体重なのである。

もちろん同じ肉体を取り戻したなどとは言わない。かつて鋼のようであった胸はマシュマロのようである。サラブレッドの後肢のようであった足は、棒杭のようである。砦に積み上げた土嚢《どのう》のようであった腹筋は、何にたとえようも、ぜんぜん見当たらない。おまけに全体を、ふんわりと色白の脂肪が被《おお》っている。

視覚的にはたしかに醜い。だが、とにもかくにも二十五年前と同じ体重をついに取り戻した。

あとはこれ以上の体重の減少を、どんなに食欲がなくても必ず食えるトップスのチョコレートケーキで食い止めればよろしい。そう、まさに食い止めるのである。

そして明日から毎月恒例の京都取材に行っても、なるたけ炎天下は歩き回らずに夜の祇園でウーロン茶を飲みたおし、ホテルの冷房をめいっぱい効かせてぐっすり眠ればよい。なおかつ要すれば、帰京後すみやかに都内のホテルに入り、所在不明のままファックス仕事をしつつ、秋を待つ。

そういえば、体重とはぜんぜん関係ないかもしらんが、ほぼ一年間猖獗《しょうけつ》をきわめていた四十肩が、ケロリと治った。

本稿にてその悩みを打ちあけた後、全国の同病読者からたくさんの有難いお手紙を寄せられ、さまざまの自家治療法を教示していただいた。その結果、ついにケロリと治ったのである。角度によって多少の痛みは残っているが、あのうずくまるような激痛からは完全に救われた。

さらに、これは体重の減少に伴う肝機能の改善とたぶん関係があると思うのだが、長年悩まされていた「胸ヤケ」もウソのように治った。

かつては食後ただちに制酸剤を用いねばならず、ウーロン茶のかわりにペリエ（フランス製の炭酸飲料で、知る人ぞ知る胸ヤケの特効薬）を牛飲せねばならなかった。しかし今や油物をヤマのように食っても、胃壁はビクともしない。

四十肩も治り、胸ヤケもせず、中性脂肪値も下がったとあればもはや怖るるものは何もない、という気がする。

このままじっと暑さを耐え忍んで、営業仕事はなるたけ出版社に任せ、季節のないホテルの密室で遅れた原稿を書くとしよう。


——いま、嬉しさのあまりペンを置いて、体重が夢の六十キロになったことを家人に報告した。ここだけの話だが、家人の体重はほぼ私と同じレベルであり、当然ダイエットには腐心している。いささか当てつけがましくもあるが、私は事実をありのままに伝えた。

と、家人はダンベルを握る手を止め、突然こわいことを言った。

「一ヵ月で八キロ？　……そりゃふつうじゃないわ。ついに肝癌よ」

明日、京都へ出発する前に、病院へ行く。

恩人について

Nさんは二十歳の高校一年生だった。

私が中学に入学したとき同じ学園の高等部の一年生で、私が中学三年になっても高校一年生のままだった。

さまざまの人の恩を享《う》けて四十四年を生きてきたが、現在かくある私の恩人を一人だけ挙げろと言われたら、私は迷わず師よりも親よりも、このNさんの名を挙げねばならない。

落第につぐ落第で、一学年に一色と定められていたバッジの色がぐるりと一回りしてしまったNさんは、学園の有名人だった。

真黒なサングラスにサンダルばきという異様な姿で、適当な時間に登校し、適当な時間に下校する。都内でも有数の進学校には、いわゆる「落ちこぼれ」を救済するというカリキュラムはないので、Nさんは自由なのだった。

Nさんは登校すると図書館にこもって読書をした。そして文学に心得のある教師を訪ねて質問をし、あるいは文章の添削を受け、放課後は長年在籍しているブラスバンド部で、クラリネットを吹いた。

私との出会いもクラブ活動だった。私のパートはトロンボーンだったが、クラブの生き字引のようなNさんは新入部員の指導役で、吹奏楽の基礎をみっちりと教えてくれた。言葉少なで要領を得ない人だった。しかし楽典にはたいそう詳しく、私は教師の教えてはくれない音楽の基礎理論を、Nさんの不器用な説明から知ることができた。

練習の終わったあと、Nさんがベニー・グッドマンの真似をして吹くクラリネットは、うっとりとするぐらい哀愁に満ちていた。

中学に入ったとき、私は小説家になりたいと思った。だが、それは志と呼べるほどのものではなく、たとえばジェット・パイロットになりたいとか、お巡りさんになりたいとかいうのと同じ、漠然とした少年の夢だった。

図書館に通ううちに、Nさんと親しくなった。私が借り出そうとする文学書の貸出表には、たいていNさんの名が書かれていた。

小説家になりたいと打ちあけたのは、ほの暗い書庫の中だったと思う。

ふうん、とNさんはサングラスをはずして、私の顔をしげしげと見つめた。私は音楽のことなら何でも知っているNさんを尊敬していた。本をたくさん読んでいることで、なお尊敬していた。

こんど僕の書いた小説を読んでくれますか、と言ったように思う。するとNさんは苦笑して、俺もおまえもまだ小説を書くのは早いんだよ、今はできるだけ読んでおくんだよ、というようなことを言った。

ひとつだけ、はっきりと記憶に残る言葉がある。

「俺は小説家になるんだ」

と、Nさんは言った。なりたい、というのではなく、たしかにそう言った。

Nさんは学校のそばのアパートに独り住まいをしていた。実家は広尾あたりの裕福な家であったから、わざわざアパート住まいをしていた理由は知らない。

文学書と原稿用紙でうずめつくされたその部屋に、私は入りびたるようになった。私はその部屋で、読めと言われたものを読み、写せと言われた小説を原稿用紙に書き写した。中学の三年間、放課後と週末のその生活は、私にとって学校での学問よりもずっと意味が重かった。私はNさんの興味の赴くままに、鷗外を読み、荷風を愛し、谷崎を写し、川端を誦《しょう》した。スタンダールもトルストイもジョイスもプルーストも、みんなNさんの趣味のおこぼれだった。

ときどきコンサートにも行き、オーケストラの美しさも知った。モーツァルトもピカソもゴッホも教わった。Nさんは幼い私にとって、あらゆる美の伝道者だった。

おまえは小説家にはなれないよ、というのがNさんの口癖だった。どうしてですかと聞くと、ただ、おまえには才能がないから、と答えた。

言われるたびにいつもくやしい思いをした。だが、Nさんはつねづねそう言うことで、私の努力を喚起していたのかも知れない。そんな気がする。

Nさんは私が中学三年の夏休みに死んだ。北信濃の湖で溺れたのだった。

信州に旅立つ朝、私は新宿駅のホームでNさんを見送った。列車の窓を開けて、そのときもNさんはしげしげと私を見つめながら、おまえは小説家になれないよ、ラッパはうまいから、ピアノを習って音大へ行け、と言った。

いいえ、僕は小説家になります、と私は答えた。勝手にしろ、はい勝手にします。笑いながらそんな永訣の言葉をかわした。

ブラスバンド部のキャプテンから、Nさんが死んだという電話が入ったのは、数日後の夜だった。まっしろになった頭の中で、考えたことはただひとつ、小説家にならねばならないという使命だけだった。

葬儀は目白の教会で行われた。ブラスバンドはフルメンバーを揃えて、Nさんの編曲した「錨《いかり》をあげて」を演奏した。Nさんと仲の良かったキャプテンは、タクトを遺影に供えて、自らクラリネットを吹いた。

Nさんの書いた第一トロンボーンのスコアは難しかった。原譜ではトリオと呼ばれる「サビ」の部分に、壮大なトロンボーンの主旋律が用意されているのだが、Nさんがたぶん私のために書いてくれたスコアは、頭から終わりまで、そのユニゾンの連続と言ってもよかった。

部員たちはみな泣いてしまって、演奏はひどいものだったが、私は泣かずに「錨をあげて」を吹いた。

Nさんは小説家になれずに、二十歳で死んでしまった。だから私は、このさきどんなことをしてでも、何と引き替えてでも小説家にならなければならなかった。十五歳の私は、そればかりを思いつめた。

ところで先日、親しい編集者に「浅田さんは露悪癖がある」となじられた。また別の編集者からも、「近ごろ身の回りのことばかり書きすぎるのでは」、と忠告された。ごもっともである。内心、深く反省している。かように自慰的エッセイを書いて、読者が喜ぶはずはない。のみならず狭量な性格と資質とを暴露しているようなものであろうと思う。

インタヴューや対談のたびに、私はずいぶんと偉そうなことを言う。活字になって初めて、ああまたこんなこと言っちゃったと、溜息をつく。あるいは、編集者たちを摑まえてしたたかな文学論を吹聴する。おそらく皆さん辟易《へきえき》しているであろうことはわかっている。

それもこれも、Nさんの口癖であった「おまえには才能がないから小説家にはなれないよ」という言葉に、今も呪縛されているからだろうと思う。だからそうしていつも虚勢を張ってしまう。

Nさんは私の書いた作文のような小説を、ただの一度もほめてはくれなかった。だからあれから三十年も小説を書き続けて、本がたくさん出版されて、有難い文学賞までいただいても、自分が小説家になったという実感が湧かない。俺は小説家なのかな、などという間の抜けたことをしばしば口にして、編集者たちを笑わせる。

冗談ではなく、本当にそう思っているのである。私が一番ほめてもらいたい人は、とうに死んでしまった。

Nさんに死なれたとき、どうしても小説家にならねばと思った。それがNさんの遺志であると信じた。これほど不純かつ短絡的な動機を持つ作家は他にいないだろうと思う。露悪癖ここにきわまれり、というところか。

きょうは八月十五日で、終戦のことを書こうと思って原稿を開いたとたん、まったく私的な文章を書き始めてしまった。活字になればきっとまたみんなに叱られる。

実名を書いても、記憶にとどめている人はご遺族と私ぐらいのものであろうからかまわないと思う。

長崎謙之助さん。僕は音楽家にならずに小説家になりました。明日、取材と称して大文字の送り火を見に行きます。人ごみの中で僕を見かけたら、みんながそうしてくれるように、僕の小説をほめて下さい。一言でいいんです。

ふたたび巨頭について

私の頭が常軌を逸したサイズであるということは以前にも書いた。

書いた記憶はあるのだが、何でもかんでもモノにしたとたんに忘却してしまうという悪いクセがあるので、いったいどんなことを書いておったのであろうと、現在絶好調乱売中の『勇気凜凜ルリの色・第一巻』を繙《ひもと》いた。

P224「巨頭について」。

くだらん。実にくだらん。くだらんが面白い。思わずハッハッと声を立てて笑ったあと、俺はやはりこの路線で行くべきだなどと考え、暗い気持になった。

で、不本意ながら「ふたたび巨頭について」を書く。

この夏、どうしても帽子が必要となった。某月刊誌上に京都を舞台とした小説を連載しており、ために毎月取材にでかける。私はしごくリアルな半生を送ってきたせいで想像力というものに乏しく、現場取材をしなければ風物がうまく描けないのである。そこで毎月京都に出張し、三四日かけて市中をレンタル自転車で走り回るハメになった。

作家自身の名誉のために言っておくが、レンタ・サイクルという発想は決して経費節減のためではなく、いわんや自衛隊出身のマッチョな趣味に起因するものでもない。自転車の機能と速度は、極めて風物の取材に適しているからである。

在隊時は一五〇〇メートル持久走を四分三十秒台で走破し、以後もこの豪脚によっていくたびか生死に拘る窮地を脱した。したがって自転車取材とはいってもなまなかのものではない。

たとえば某日の行程を思い返せば、京阪三条を起点として、南禅寺、鹿ヶ谷、法然院《ほうねんいん》で谷崎潤一郎の墓に詣でたあと一気に銀閣寺道から京都大学。構内に乱入して学生たちからカツアゲ同然のインタヴューを取り、今出川通を一路西へ。西陣、等持院から太秦《うずまさ》、映画村を見学して嵐山、国道一六二号にとって返して桂川畔に至り、そこから九十度の反転をして九条通をつっ切り再び東山。東福寺から泉涌寺《せんにゅうじ》、さらに智積院とめぐり、いっそ清水寺までと思ったが坂道があんまり辛そうなのであきらめ、石段下を通って青蓮院《しょうれんいん》の縁側で昼寝ののち、夕刻に起点の自転車屋へと戻った。

要するに京都市内一周のサイクリングである。毎度この調子で走ることも、春から初夏までは爽快であった。しかしやがて、泣く子もウナる京都の夏がやってきた。

仕事なのだから暑い寒いは辛抱する。ところがある日、ホテルに戻ったとたん強烈な頭痛に襲われた。炎天下を無帽で走った結果、熱射病に罹《かか》ったのであった。

今さら言うのも何だが、私はハゲである。ハゲ頭の直射日光に晒《さら》される苦痛は、ハゲでなければ決してわからない。ものすごく暑いのである。いや、熱いのである。しかも日灼けによって赤く腫《は》れ上がったのち、たまらなく痒《かゆ》くなり、数日後、あろうことか皮がムケた。

それは七月初旬のことであった。ならばさらに日射しの強まる八月にはとうてい耐えきれまいと思い、どうあっても帽子を買わねばならぬと決心したのであった。

まさか「ハゲのため休載」とは言えぬ。

こうなると六十二センチという巨頭は、作家生命に拘る問題なのである。帰京した私は家族にも編集者にも内緒で、懸命に帽子を探し始めた。

以前にも書いたが、六十二センチの帽子は存在しない。ために私はかつて、学生帽も軍帽も、鉄カブトの中帽のしかけさえも、こっそりと改造して冠《かぶ》っていたのである。若い時分にはそうした手間も惜しまず、また多少の出来ばえの悪さも苦にならなかったのであるが、四十も半ばになってはそれもうまくない。第一、「浅田次郎はゴム入り改造帽を冠っている」などという噂がとべば、私は今後お笑いエッセイのほかに生きる道がなくなる。それもまあ悪くはないと思うけど、やっぱりいやだ。

そうこうするうちに八月の取材日程が迫ってきた。六十二センチの帽子をあちこちと探しあぐねながら、私は短絡的な強迫観念に捉われだした。つまり、「帽子がなければ小説が書けない」というプレッシャーに襲われたのである。決してそんなはずはないのだが、病的なまでにそう思いこんでしまった。

さて――ここに一個の帽子がある。

たいそう派手な、ツバの広いパナマ帽である。大枚一万五千円もしたが、たとえ十五万円でも私は迷わず買ったであろう。

とうとうめぐり遭ったのは、帽子探しに倦《う》んじ果てた場末の商店街であった。それはくすんだショーウインドの中で、おのれの並はずれたサイズのために長らく購《あがな》われることもなく、静かに巨頭を待っていた。

その日、私は知人からの非情なファックスを受け取り、失意のどん底にあった。

「あちこち探しましたが、パリにはありません。イタリアにはあるかもしれないと帽子屋さんが言っていましたので、そちらに聞いたらいかがでしょうか」

イタリアか……と呟きながら、私はワラにもすがる思いで、電話帳で調べた数少い「帽子専門店」を訪ねたのであった。

たそがれのショーウインドの片隅にその帽子を発見したとき、(これはデカい)、と思った。見た目にはっきりそうとわかるほどデカかったのである。

きょうび全くはやらぬ帽子専門店に入り、おそるおそる訊ねた。

「あの……それを見せて下さい」

店主は私の頭をチラと見て答えた。

「サイズが大きいですよ」

私の頭は後頭部が突出した形なので、一見してそう大きくは見えないのである。

「いえ……けっこう大きいんです。見せて下さい」

「そうですかあ？　ま、モノはためしということもあるけど、これは大きすぎてなかなか売れないんですよ。もしサイズが合えばお勉強しときます」

通常、モノはためしと冠ったとたん、帽子は正月のおそなえ餅のようになる。冠るのではなく、乗っかるだけなのである。店員はたいてい爆笑し、私も笑ってごまかす。ただしそのときの屈辱感といったらただものではない。

冠る前に、まず内側を点検した。カナダ製のステットソン。一流メーカーである。しかしサイズ表示には（60・7½）とあった。60はセンチ、7½は号数かなにかであろう。

私は溜息をついた。

「あの、六十センチじゃダメなんです」

「いえいえ。表示にはそうありますけど、どういうわけか大きいんですよ」

ふと、カナダの雄大な自然が私の脳裏をかすめた。その国に行ったことはない。だが聞くところによれば、そこは森と湖に恵まれた豊饒《ほうじょう》な大地で、山にはヒグマがおり、川にはシャケが群をなし、あの巨泉さんだって住んでいるという。そういうすばらしい国なのだから、もしかしたら日本でいう六十二センチはカナダでは六十センチなのかもしれないと私は思った。

ステットソンのパナマは、私の巨大な頭をすっぽりとおさめた。一瞬、えも言われぬ感動とともに、四十四年の労苦が甦った。

子供のころから頭でっかちといじめられた。学生帽の後頭部を切り裂いてゴムを縫いつけた。自衛隊では補給陸曹と営内班長が、夜をつめて細工をしてくれた。

「……ぴったりです。これ、下さい」

「本当ですか？　……ムリしてないですか」

いかにも信じ難いというふうに冠りぐあいを調べて、店主は快哉《かいさい》の笑みをうかべた。よほど売れずに置いてあったのだろう。あたりまえだけど。

「一万五千円ですけど、一万円でけっこうです」

店主はそう言ったが、私は一万五千円を支払った。どう考えてもイタリアに行くよりは安い。

かくてステットソンのパナマ帽は、私のトレードマークになった。ちょっとキザだけれど、とうとうめぐり遭った恋人とはかたときも離れたくはない。

頭でっかちの私をやさしく包みこんでくれる帽子に口づけをして――おやすみなさい。

公益について

判決が出た。

沖縄の民有地などを米軍施設として強制使用することがはたして憲法に違反するかどうかという争点について、最高裁はこう判決を言い渡した。

「強制使用は私有財産を公共のために用いるもので、憲法に違反しない」

さらにその上で、こう結論を下した。

「県知事の代理署名拒否が著しく公益を害することは明白である」

きわめて合理的な判決であると思う。しかし、法的な合理性さえ全《まっと》うすれば、正義は否定されてもよろしいのであろうか。

たとえ法律との間にいかなる齟齬《そご》をきたしていようと、大田県知事の主張は正義である。代理署名拒否という行動は正義を貫くための、それしかない方法であると私は信ずる。

最高裁の判決が下ったいま、沖縄県民は法的効力のない住民投票にその正義のありかを問うほかはなくなった。まことに厳しい立場に追いこんでしまったと言うべきであろう。不幸な判決である。沖縄県民のみならず、全国民にとって、これは不幸な判決である。以下、たびたび本稿に書いたことと内容が重複するが、不幸の理由を述べる。

政《まつりごと》とはそもそも、民の暮らしを安んずるために行われるものである。内閣も国会も官庁も司法も、その目的を合理的に遂行する機能にすぎない。人類が数千年の間に造り出し、よりよく造り変えてきた一種の機械である。機械を正しく作動させるものは人間であり、その性能が歴史とともに向上すればするほど、人間にはさらなる「人倫」が要求される。県知事は民の暮らしを安んずるという政の原義をもって、不正と矛盾とを正そうとしたのである。署名を拒否するということは、つまりそういうことなのである。

おそらく県知事は、この裁判に法的な意味での勝算があるとは信じていなかったであろう。それでも勇気をもって、「良識」に問うたのである。「人倫」の存在に賭けたのである。

この偉大な勇気に対し、「著しく公益を害する」とした結論は、機械化してしまった法治国家の悲劇であると私は考える。すなわち、機械のオートマティックな作動により、良識や人倫を見失ってしまったわれわれ国民は、不幸である。

われわれは既成事実というものを忘れて、倫理的に良識的に、われわれがいま直面している社会の有様を考え直してみる必要がある。

たとえば、県知事の行為が「著しく公益を害する」ものであるとするならば、その結論によって確実に害される沖縄県民の「公益」は、どう保障されるのか。日本全体の繁栄や世界の平和のために沖縄の利益が無視されてもよいという論理は、それこそが憲法違反である。

さらに、この「公益」なるものを「日米安全保障条約に基く公益」という狭義において考えてみる。狭義ではあるがつまるところ「本音」であろう。

元来、「日米安全保障条約」という呼称はきわめて猥褻である。「日米軍事協定」と言えないから、そう呼ぶ。この条約が日本国憲法に矛盾することは、小学生にでもわかる。安保を軍事条約ではないと言い張り、自衛隊を軍隊ではないと言い張ることは、目の前の虎を称して猫だと言い張るようなものだと私は思う。既成事実の重みにより、われわれはいつの間にか虎を猫だと誤認してしまっている。もし県知事の行為が違法であるとするなら、言葉の遊びによってごまかし続けている安保の違憲性を、小学生にでもわかるように説明して欲しいものだと思う。違憲にちがいない条約を遵守《じゅんしゅ》するという「公益」のために、沖縄県民は父祖から受け継がれた土地を、無理無体に召し上げられている。そして既成事実という動力によって動き続けている司法は、彼らの享《う》けるべき正当な「公益」を法の名の許に黙殺した。

さらに、安保条約によって必然的に導き出された現実を、われわれはもういちど、冷静に考え直さねばならない。

憲法論議はさておき、自立した一国の中に他国の軍隊が駐屯しているという異常な事態についてである。私は国家主義者ではないが、どう考えても国家としてこれほど屈辱的なことはないと思う。日本の歴史上、他国の軍隊が国内に駐留したためしはただの一度もなかった。そのこと自体が屈辱であるうえに、われわれは永久不戦の憲法を戴き、あまつさえ国土と国民とを守るのに十分な国防組織を持っているのである。この屈辱を耐え忍ぶ合理的な理由は、何ひとつないと思う。

つまり、五十年も前の敗戦以来、繁栄のみをめざしてわれわれは恥という概念を忘れた。生活さえ豊かになるのなら委細かまわぬと考えた末、なりゆきまかせに他国の軍隊の駐留を許容し続けてきたのである。

私が子供の時分には、日本は戦争に敗けたのだからアメリカの基地が国内にあるのだと考えることができた。大人たちからそう教えられ、またそれはそれで十分な説得力があった。だが、今となっては子供になぜかと問われても、納得の行く解答を与えられる親はどこにもおるまい。

沖縄の基地問題について、その根本原因であるこの国辱的現実が、いささかも論じられないのはなぜであろう。つまり、われわれはすでに「既成事実」を「当然の現実」と考えてしまっているのである。

たとえどのような国際事情があれ、国内に他国の強大な軍隊が駐屯しているという現実を、われわれは歴史的な異常事態として認識する必要がある。

良識的にも倫理的にも、決してあってはならぬ異常事態にまつわる「公益」のために、沖縄はじめ全国の基地周辺の住民の「公益」が阻害されるようなことがあってはならない。

とうとう最高裁の判決を経て、沖縄県民の住民投票へと持ちこまれることになった基地問題の、その発端となった事件を、どうかもういちど思い返して欲しい。

近所の文房具屋にノートを買いに行った少女が、三人の米兵に拉致《らち》され、強姦されてさとうきび畑に捨てられたのである。こんなことは書くだにおぞましいが、われわれは被害者の少女の勇気に添うて、もういちど思い返さねばならない。

少女は犯行現場の検証に立ち会ったとき、捜査員に対してきっぱりとこう言ったのである。

「私のような犠牲者を二度と出したくないから、きちんと訴えます」、と。

少女の希《ねが》いは偉大な県知事の意志によって、最高裁まで持ちこまれたのである。かつて日本国民の防波堤となって県民の三割を失い、なお五十年の間、違憲軍事協定のもたらした災厄を一身に受けてきた沖縄県民の悲願は、倫理も良識もない法律判断のもとに、オートマテイックに棄却されたのである。

この判決はつまり、こういうことだ。

凌辱された少女がぼろぼろの体をひきずって、泣きながら歩いた真暗なさとうきび畑の道を、一緒に歩こうとした人間はいなかった。

どのようにきれいごとの補足意見を並べようと、最高裁の判事は誰ひとりとして、少女とともに歩こうとはしなかった。沖縄の基地縮小に引き続き努力をすると言い続ける政治家も、誰ひとりとして少女の痛みを己れの痛みと感ずることはなかった。

そういう結論が出たのである。「棄却」という言葉の持つ非情の重みを、国民はせめて、しっかりと胸に抱き止めねばならない。

週刊誌上で自分の思うところをぶちまけるほかに、私のできることは何かと考える。

私は小説家なのだから、いつの日か沖縄の戦を小説に書きたいと思っている。戦争を知らず、高度成長の時代にのうのうと育った私がそれをなすことは至難であると思う。臆面もなくこのような宣言をすること自体、世の譏《そし》りは免れまい。

だが、やはり私は小説家だから、少女とともにさとうきび畑の道を歩く方法を、他には知らない。

愚かしい国家が偽りの「公益」を守るために踏みにじってしまった真実の「公益」を、物語の力でたとえわずかでも奪い返すことができればと思うがゆえである。

寝起きについて

自慢じゃないが私は寝起きがよい。

いや、自慢である。自慢してよいぐらい寝起きがよいのである。どのくらいよろしいのかというと、生れてこのかた目覚まし時計というもののお世話になったためしがない。床に就く前に、明日は何時に起きるぞと誓い、さらにちょっと恥ずかしいけれど、枕さんに顔を伏せて、「枕さん枕さん、あした六時に起きます。どうか起こして下さい」と、お願いをする。と、あらふしぎ、前後五分とたがわずにパッチリと目が覚めるのである。ちなみに私のこの習性は、いかな寝不足の折にも有効であり（たとえば五時に寝て六時に起きるという場合にさえ）、しかも「六時十五分」とか「六時ちょっと前」とかいう微妙な指定も利く。

自分でもふしぎに思う。まさしく体内に自動起床装置を隠し持っているとしか考えられない。

なおふしぎなことには、ただその時間に目が覚めるばかりではなく、目覚めたとたん一瞬にして、心身ともに正常な機能を開始する。まどろみというものを知らんのである。たとえば、いま書いているこの原稿も起床と同時に書き始めた。まさしく「起稿」と言えよう。

若い時分にはガバッとはね起きたなり突然、腕立て伏せ、屈《かが》み跳躍運動等を開始して同衾《どうきん》の女性をおののかせたものであるが、多少体力の衰えた今日では、むしろ都合がよい。そっとベッドを脱け出し、モーニング・コーヒーを淹《い》れ、瞼にくちづけをして、「おはよう。キミの朝だよ♡」、とか何とか言う余裕がある。

なおこの際、「あなた、寝起きがいいのね」と言われても、「もちろん。元自衛隊だからな」、などという種明かしは決してしてはならない。すかさず、こう答える。

「ずっと、キミの寝顔を見ていたんだ♡」

「いやン、はずかしい」

と、シーツで顔を被おうとする手を制して、やさしくモーニング・キス。で、笑いを消した真顔で言う。

「キミは、素顔がいい♡」

ともあれ、寝起きのよさは私の特技である。

作家のアイデンティティーを脅かす冗談はさておき、なぜ私はかような特性を身につけたのであろうか。

私の生家はクソ忙しい商家であり、口やかましい祖父母の支配下に大勢の住み込み店員が起居していた。これがまず第一の理由であろう。商家の一日は、「やいやい、お天道様《てんとさま》はとうに上がっちまってるぞ！」などという祖父の大声で始まったのである。

ほどなく、てて親が不渡をとばし、家は没落した。親類の家に預けられた私は、周囲に気をつかっていっそう寝起きがよくなった。さらに何だかんだあって、十五の齢からアパートを借りて独り住まいを始めた。時間は自主管理せねばならないので、もっと寝起きがよくなった。

高校時代は主として麻雀屋でアルバイトをしつつ自活した。徹夜麻雀の賄《まかな》いをし、メンバーの揃わぬときは卓につく。こういう生活をしていると、瞬時に眠り、瞬時に目覚めることができなければ体が持たない。かくて私は、今日編集者どもが眉をひそめて噂するところの、「浅田さんはいつでもどこでも誰とでも眠る」、という人格を身につけたのであった。

自動起床装置が私の体内に完成したのは、もちろん自衛隊生活においてである。

軍人は万国共通のカリキュラムにより、日々の生活をすべてラッパにより制御されている。わが自衛隊は旧帝国陸軍以来の伝統に従い、午後十時には消灯ラッパで無理無体に寝かされ、朝六時には雨が降ろうが槍が降ろうが、起床ラッパではね起きる。起床後ただちに営庭に集合し、点呼を受ける。そして目覚ましに、腕立て伏せや屈み跳躍運動を行う。

また、ときには「非常呼集訓練」なるものが何の前ぶれもなく行われる。防大出身の若い将校が部隊当直についた夜などが一番ヤバいのであるが、真夜中に突然ラッパが鳴り、「起床！　総員起こし！　ただちに甲武装で舎前に集合！」、と放送がされる。

ちなみに「甲武装」とは、そのまま戦に行ける完全軍装のことである。整列後には綿密な装具点検が行われる。なにしろ「そのまま戦に行ける」格好でなければ非常呼集訓練の意味がないから、鉄カブトの紐、半長靴《はんちょうか》のはき方、小銃の手入れ、水筒の水まで検べられる。

連隊は六個の中隊からなり、中隊はおおむね七つの営内班で構成されているので、集合の遅れや装具の不備は直属上官から厳しく指弾される。

そのほかにも、たびたび回ってくる警衛や不寝番、古参隊員には当直勤務も課せられる。どの仕事も瞬発的に目覚め、とたんに正常な心身が機能しなければ務まらない。

かくて作家生活にはこの上なく便利な自動起床装置は、私の体内に完成を見たのであった。

さて、かように目覚めのよろしい私であるが、実は先日、とり返しようのない失態を演じてしまった。

このところどういうわけかテレビ出演がひんぱんに続き、私はその日も翌朝の生番組に備えて、新宿のホテルに投宿していた。

明日は早いからそろそろ寝るべえと思いつつ、『高松宮日記』にハマッた。老舗版元《しにせはんもと》「京橋屋」から贈られた、オビに曰《いわ》く「国宝級資料」である。

私は小説にハマることはないが、マニアックな資料にはしばしばハマる。実のところまだ開帳してはおらぬが、「軍事史」は私の中のけっこう大きなヒキダシなのである。フムフム、ナルホド、と読み進むうち、つい夜が明けた。

不覚にも朝七時、ハイヤーの到着を知らせる電話に起こされた。いくら何でも六時に寝て七時出発は無理があった。しかも本を持ったままスッと眠ってしまい、枕さんにお願いをすることも忘れていた。

第一、生番組は七時三十分から始まるというのに、出演者を七時に迎えにくること自体あまりにも話に余裕がない。その瞬間から私は、活字社会の常識では全く考えられないテレビ局の時間割に組みこまれたのであった。

上には上があるものだと思った。いかに私が寝起きのよい人間であるとはいえ、テレビ局のデジタル・モードについていくことは困難であった。

七時にホテルを出発。七時十五分に局入り。まるでミコシに担《かつ》がれるようにワッセワッセとスタジオに押しこまれ、何と七時三十分には本番オン・エアである。

かくて顔も洗わぬ寝起きの私は、ボーッとした昼アンドンのまんま、全国ネットワークを通じて紹介されちまったのであった。

もともとシャイなのである。照れながら何でもやってしまうという特性もあるが、人前に出ることは余り好きではない。

文章が書けるのだから言葉も同じようにしゃべれるのであろうと考えるのはまちがいで、作家は総じて口下手である。しかも私の場合、つい三十分前までホテルのベッドで眠りこけており、つい一時間ちょっと前まで、夜っぴいて『高松宮日記』にハマッていたのであった。

そんな私に対して矢継早に浴びせかけられる質問は、まさに活字人間には答えることのできぬテレビモードのそれであった。

「江川紹子さんがお好きなそうですね」

「えっ……（しばし絶句）は、はい……いえ、その……（スタジオ内爆笑）……あの……」

「かつてあぶない業界に身を置かれていたとか」

「ええっ！　……それは、べつに……（再び絶句。スタジオ内騒然）……」

ほとんど刑事と容疑者の対話であったと思う。コメンテイターの竹村健一さんの助け舟がなければ、私はおそらくその場で泣き伏したか、走って逃げ出したであろう。

あの放送を見てしまった読者の皆様に念のため。実物はずっとマシであると承知されたし。

さて、これより国営放送の収録に向かう。本日は寝が足りておるぞ。

失踪について

私は今、いつになく悲しい気持ちでこの原稿を書いている。目覚めればまず溜息をつき、食事の途中でいくども箸を置き、人と会えば話はうわの空で、机に向かえばついつい物語が切なくなる。

秋が来て、体調もすこぶるよろしい。快眠快便、四十肩もケロリと治り、仕事はほとんど自動筆記のごとく進捗《しんちょく》し、まさに矢でも鉄砲でも持ってこいといった毎日なのである。

しかし、心は悲しい。

悲しみの原因を口にすると、みんなはまたきっとバカにするから、週刊現代に書く。

猫が消えたのである。しかもこの一夏のうちに、三匹の愛猫が次々と失踪した。結果、わが家に残された猫はわずか三匹となってしまった。

この二十年来、私の幸福感は財布の中味とはもっぱら関係なく、常に同居する猫のあたま数と比例していた。最も幸福を実感していた数年前は、十三匹の犬猫と寝食を共にしていたのである。

去るものあり、死するものあり、そのうちご近所からの苦情および市役所のご指導等に屈して心ならずも避妊去勢の術を施した末、猫の数は六匹に安定していたのであった。

何とうち半数が、この夏に失踪したのである。

わが家においては猫は決してペットではなく、家族である。私はよく猫語を解し、猫は人語を完全に理解している。意思が通じ合っており、しかも互いに毛ばかりの猜疑心すら持たず、嫉妬もおねだりもしないのであるから、家族以上に信倚《しんい》し合っていると言っても良い。

まず梅雨のころ、愛する巨猫チョロが消えた。今を遡《さかのぼ》ること五年前、旅の野良猫が床下に置いて行った猫である。あれもたしか雨の日であった。

牛乳を持って行ってやると、母猫は二匹の仔猫を私に見せながら三ツ指ついて言うのである。これまで何とかやって来ましたが、あたしも精一杯で、このさき子供らを育てる自信がありません。どうか貰ってやって下さい。

頼まれてイヤと言えないのは、猫も原稿も同じであった。あいよ、わかった。俺にどのぐれえのことができるかは知らねえが、できるだけのことァしてやるぜ。ありがとうございますと母猫は、雨の中を振り返り振り返り、去って行ったのであった。

二匹の仔猫のうち一匹はグレたが、もう一匹は立派に育った。それがチョロである。ただし彼は立派に育ちすぎて界隈のボスとなり、そこいらじゅうに子供を作った。わが家に寄せられた苦情と指導との原因は、ほとんど彼であった。

しかし、可愛かった。新しい女ができるといちいち私に紹介し、子供が生まれればわざわざ見せに来た。

そんなチョロであるから、複雑な猫間関係に悩んだ末、駆け落ちでもしたのであろうと思うことにしているが。

クロが消えたのは夏の盛りであった。

これはその名の通り真黒な牡猫で、足の先だけ白いソックスをはいていた。近所の米屋に迷いこみ、何とかしてくれと言われたので引きとることにした。仔猫のころからまことに人なつこい、愛すべき性格の猫であった。

成長するに従いボス猫チョロと反目するようになったので、こんこんと説諭をした。おのれは長幼の序というものを知っておるか。このさき諍《いさか》いを起こすようであれば、私は家庭平和のため心を鬼にしておのれを捨てねばならぬ。悔い改めるか、さもなくばいっそ男を捨つるか、と迫った。

タイプからいうと、チョロは町人であったがクロは武士であった。私の説諭に対して、彼は毅然としてこう答えたのである。

父上、いかに長幼の序とはいえ拙者も男、同じ猫に頭を下げるわけには参りませぬ。ならばいっそ男を捨て、みなと共に暮らしましょう。で、翌日さっそく病院に行き、いさぎよくオカマとなった。

クロの突然の失踪については、むしろ出奔と呼ぶ方がふさわしかろうと思う。


夏の終り、私の溺愛していたミルクが消えた。

ミルクは拾ってきたころから牛乳が好きであったので、ミルクと名付けた。脱脂綿に含ませた牛乳を、母の乳房にすがるようにしてよく飲んでくれた。そのせいで、よもや育つまいと思われたものが生き延びた。

しかし、やはり長じても体は小さかった。そのうえひどいブスであった。ブスの深情けで、私にはよくなついた。

いや彼女はたぶん、一個の女性として私のことを愛してくれていたと思う。夜は私の首にまとわりついて眠り、昼間はほとんど、肩の上に乗っていた。原稿を書いているときも、ずっとそうしていた。

四十肩になって、右の肩が痛いと言うと、左の肩に乗った。それでも夜にはちゃんと右の肩に体を寄せて、温め続けてくれた。

ミルクは死んだと思う。

生来が弱い猫であったから、しばしば病院に行った。たいそう頭が良く、そこがどこであるか、獣医が誰であるかを認識しており、診察に際しては実に神妙にしていた。

餌を食べなくなり、めっきりと痩せてしまったので病院に連れて行ったところ、その日に限って珍しく嫌がった。ことに獣医が、ちょっと高価な薬ですけれどと言ってインターフェロンを注射しようとしたところ、激しく抵抗した。

帰り途、たそがれの公園のブランコに乗りながら話し合った。

「あたし、もういいよ。八年も生きたんだから……」

ミルクは私の腕の中で、たしかにそう言った。

「なに言ってるんだ。金のことなら心配するな。俺は八年前とはちがうぞ」

「でも、自分の体のことは、自分が一番知ってるわ。注射なんて、するだけムダよ」

「治してやるよ。今までだって、ちゃんと治ったじゃないか」

「もう、いいってば」

ミルクは私の手をすり抜けて逃げてしまった。

それきり一週間も行方が知れなかった。あちこち探しあぐねてあきらめかけたころ、真夜中に愛犬パンチ号が吠えた。書斎の窓を開けると、真暗な塀の上にミルクが座っていた。骨と皮ばかりの姿であった。

話しかけても、じっと私を見つめるだけで、答えてはくれなかった。

たくさんの猫と暮らしてきて、こういうことはいくどもあった。情の深い猫は別れを告げにくるものなのだ。

あたりには秋虫がすだき始めていた。

よろよろと立ち去るとき、ミルクは虫の音よりもか細い声で、ひとことニャアと鳴いた。

「さよなら。ありがとね」

と、ミルクは言ったのだった。

それが彼女の、できうる限りの真心であったにせよ、そんな言葉は聞きたくなかった。

ミルクは月あかりの藪に消えてしまった。呆然と立ちすくみながら、八年前の出会いのことばかりを思い出した。母の乳にすがりつくように、脱脂綿を吸ってくれた。あれほどけんめいに生きようとし、育とうとしたのに、どうしてこんなにも簡単に命を投げ出してしまうのだろうと思った。

だが、こうも思った。生きるということは本来そういうものなのかも知れない。人間ばかりが、その潔さを忘れてしまっているだけなのだ。

ミルクの姿はどこにも見当らなかった。夜が明けてもういちど近所を探してみたが、どこにもいなかった。

さよなら、ありがとね。こんな愛の言葉を遺して、その存在をあとかたもなくかき消すような死に方は、人間には決して真似はできまい。

ミルクが死んだという確証はない。おそらく、どこかで生き永らえているかも知れないという希望を私の胸に残して、彼女は死んでくれたのだろう。

人間は最も愛を忘れた動物だ。

亀《き》鑑《かん》について

サダやんは子供のころから、カツドウが大好きだった。

寝ても覚めてもカツドウのことばかりを考え、大きくなったら映画監督になろうと心に決めていた。

父親は下町の扇子職人で、サダやんは六男坊だからたいそうな小遣はもらえない。学校から帰ると新京極まで走って行って、京都座のまわりをうろうろしたり、マキノキネマのスチール写真を覗きこんだりして一日を過ごした。

開幕ベルが鳴るとモギリの足元に膝を抱えて蹲《うずくま》り、洩れ出てくる弁士の声に耳を澄ました。やがて夜も更け、興奮さめやらぬ群衆がどやどやと映画館から出てくる。サダやんは膝を抱えたまま人々の声を聴き、目をつむって銀幕の匂いを胸いっぱいに吸いこむ。そうしてカツドウの風に触れているだけで、とても幸せな気分になった。

サダやんはそれぐらい、カツドウが大好きだった。

夢は叶《かな》った。商業学校を卒業すると、サダやんは等持院のマキノ映画に入社した。所属は台本部だ。市電を乗り継いで撮影所に通う間、サダやんは誰かに話しかけられても気付かぬくらい、先輩の脚本や小説に読み耽《ふけ》っていた。

どうしても監督になりたかった。日本中の観客が溜息をつくような映画を、自分の手で作りたかった。

「昼あんどん」と呼ばれた。顔がゲタのように大きくて、動作がのろくて、いつもボウッとしているように見えたから、そんな仇名《あだな》がついた。だが、行灯《あんどん》のようにぼんやりしていたわけではない。サダやんの頭の中は、いつだってカツドウのことでいっぱいだったのだ。

一生けんめい、三十本もの台本を書いて、サダやんは助監督に抜擢《ばってき》された。マキノのエース、井上金太郎監督の組だ。しかし昼あんどんのサダやんは、助監督の雑用などそっちのけで、いつもキャメラのうしろにつっ立っていた。すきあらばファインダーを覗いて、監督にどやされた。

昭和の初めのそのころ、映画は最大の娯楽産業だった。いきおい映画会社の消長は激しく、サダやんをめぐる環境はあわただしく変化した。収入も不安定だったし、人間関係も複雑だった。しかしサダやんにとって、そんなことは問題ではなかった。苦労も感じなかった。はた目には昼あんどんに見えたかも知れないが、サダやんの胸はいつも真夏の太陽のように燃えていた。

世界中の観客が拍手喝采するような映画を、自分の手で作りたかった。

そしてついに、チャンスがめぐってきた。昭和六年、サダやんはあこがれのメガホンを握った。満二十二歳の監督デビューだった。

明けて昭和七年一月に封切られたこの「磯の源太・抱寝の長脇差」は、大好評を博した。サダやんはまるで矯《た》めに矯めていたものを一気に吐き出すように、その年のうちに五本の作品を撮った。

サダやんは一躍、京都映画界の寵児《ちょうじ》となった。翌昭和七年末、大枚二千円の支度金を受けて日活に入り、「薩摩飛脚」「盤嶽《ばんがく》の一生」「鼠小僧次郎吉」の三本を撮り、翌年にはさらに千恵蔵プロで、「風流活人剣」など四本の作品を世に送り出した。

名声は不動のものになった。だが二十五歳のサダやんの胸の中は、新京極の劇場の玄関で膝を抱えていた子供のころと、どこも変わってはいなかった。お金も名声も、サダやんにとってはどうでもいいことだった。相変わらず寝ても覚めてもカツドウのことばかりを考え、ボサボサの髪にヒゲ面で、いい映画を撮ることだけを考え続けていた。

その証拠に、サダやんは自分の撮った映画を試写の一回きりしか見ようとはしなかった。

「あかん。わし、よう見んわ」と言った。

昭和十二年、サダやんは東京に進出した。東宝の前身「P・C・L」に移籍し、新進劇団前進座とタイアップして、新たな挑戦をしたのだった。

名作「人情紙風船」の封切られた八月二十五日、サダやんのもとに召集令状が届けられた。日本と中国との戦争は七月七日に始まったばかりだった。だが、サダやんは扇子職人の六男坊だったし、体もたいそう丈夫だったので一番先に兵隊にとられたのだった。

京都に戻ったサダやんは、大勢のカツドウ屋たちに送られて出征した。見送りの人々が集った東本願寺の境内で、サダやんは兵隊がみなそうするように、威勢のいいことは何も言わなかった。そんなことは言えるはずがなかった。ゲタのように大きな顔を歪めてただ一言、

「わし、兵隊に行くのいやや。まだ作りたい映画がぎょうさんある」、と言った。

サダやんは翌昭和十三年九月十七日、中国大陸の開封《かいほう》野戦病院で死んだ。二十八歳と十ヵ月の生涯だった。

遺された「従軍記」のノートに、サダやんはこう記している。

――「人情紙風船」が山中貞雄の遺作ではチトサビシイ。負け惜しみに非ず。

過日、縁あって故・山中貞雄監督の法要にお招きをいただいた。

ほんの下世話な興味から、山中監督を連載小説に登場させてしまった結果である。真摯《しんし》に監督の遺徳をしたう参会者の皆様の手前、まことに面映《おもは》ゆい限りではあるが、ご無礼は承知の上で末席に加えさせていただいた。

没後六十年の今もなお、「山中忌」は京都大雄寺《だいおうじ》に於て盛大にとり行われる。席中、「人情紙風船」が京都文化博物館で上映されると聞き、帰京時間を変更して鑑賞することとした。

何度くり返し見ても新たな感動をもたらす名作である。このようなモダニズムが昭和初期の日本映画において表現されている事実は、まことに驚異という他はない。

まさに永遠のモダニズムとでも言おうか、われら表現者が永遠に追求し、永遠に到達しえないモダニズムが、この映画には完璧に表現されている。

二十代の若さでこれを成しえた山中貞雄は天才であると思う。そして天才である以上に彼の偉大である点は、あらゆるモダニズム表現のともすると陥る「理屈っぽさ」や「てらい」を、毫《ごう》も感じさせないところであろう。

彼の作品の持つ純粋な芸術性と普遍的な娯楽性の間には、何の矛盾も相克もない。むしろあらゆる表現の究極において、両者は互いの存在を担保し合う。そのことを彼はわずか八十六分のフィルムの中で明確に証明している。

そう思えば、相も変わらず純文学だの大衆文学だのと根拠のない分け隔てをし、勝手に恐々としている文学の有様が恥ずかしい。

ましてや視聴率と興行収益ばかりを尺度とする、今日のビジュアリズムにおいてをやである。

創造することの矜《ほこ》らしさ、文化というものの人類に対する責任を、われわれは忘れている。

もちろん、そうした文化を保護する立場の人々もそれを忘れている。かつて「扇子職人の六男坊」という理由で、いの一番に殺された山中貞雄の作品は、今やわずかに三本のフィルムを残すのみである。

おそらく出征に際して軍歌も唄わず、万歳もせず、ただ「わし、兵隊に行くのいやや。まだ作りたい映画がぎょうさんある」、と叫んだ若き映画監督の声を、われわれは六十年の時空を越えて、しっかりと受け止めねばならない。歴史の継承とはそういうものであろうと思う。

大雄寺の碑文は生前親交の厚かった小津安二郎の書である。文中に曰く、

「……その意匠の逞《たくま》しさ、格段の美しさ、洵《まこと》に本邦芸能文化史上の亀鑑として朽ちざるべし……」

亀鑑などという言葉は今や死語であろう。ちなみにこれは、「かけがえのない手本」というほどの意である。

「兵隊に行くのいやや。まだ作りたい映画がぎょうさんある」と叫び、名作「人情紙風船」にすら決して満足しえなかった山中貞雄監督の精神は、まさしくわれら後進の亀鑑である。平和の亀鑑である。文化の亀鑑である。

あとがき　くちづけのあとで

エッセイとは概してつまらんものである。

そもそも古来より、心にうつりたるよしなしごとをそこはかとなく書きつづるものがエッセイなのである。

どうでもいいことをぼんやりと書いて、他人が面白がるはずはない。

ではなぜエッセイなるものがいつの時代にも蜿々《えんえん》脈々と文学の一ジャンルを継承しているのかといえば、どうでもいいことをぼんやりと読む快感、というやつがたしかにあるからである。

たとえば、べつだん惚れてはいないのだが、何となく居心地のいい相手、というものがいる。愛憎とか情熱とか嫉妬とか、その他もろもろの恋愛にまつわる面倒くさい感情とは一切無縁で、ただぼんやりと時を過ごすことのできる異性。エッセイを繙《ひもと》くひとときとは、そうした好人物との怠惰で豊饒《ほうじょう》な時間と似ているのではあるまいか。その点、本著はエッセイとは呼べぬのかも知れぬ。仮にそう称するとしても、エッセイらしい快感を本著は決して読者に与えはしなかったであろうと思う。

中学生のころであったろうか、「方丈記」とか「徒然草」を学んで、なにゆえこのように面白くもおかしくもないものが、古典文学として今日も有難がられているのであろう、との疑問を抱いた。

かくてその疑念は私の文学的トラウマとなり、おのれがエッセイを書くあかつきには、兼好法師も鴨長明もくそくらえの、ぶっちぎりエッセイをかっとばしてやろうと手ぐすねひいて待っていた。

キワモノである。下品である。悪意と偏見に満ちている。全然やすらぎを与えない。すなわち、エッセイの本義に悖《もと》る。

そんなことははなからわかっているのであるが、いったん筆を執《と》ると思うところを思うように吐き出さねば気がすまない。

私の毒舌に引きずられて、ついつい安息のひとときを失ってしまった読者の皆様に、深くお詫びする次第である。

要するに私は、惚れてもいない女性と安逸な時を過ごすことのできぬたちなのである。ことあるごとに愛し合い憎しみ合い、嫉妬と情熱に懊悩《おうのう》し続けるような恋人と暮らしたい。面倒な人生にはちがいないが。

平成八年十一月吉日

浅田次郎

初出誌　「週刊現代」一九九五年一〇月七日号より一九九六年一〇月一二日号連載
●この作品は一九九七年一月に小社より刊行された作品です。

|著者|浅田次郎　1951年東京都生まれ。1995年『地下鉄《メトロ》に乗って』で吉川英治文学新人賞、1997年『鉄道員《ぽっぽや》』で直木賞、2000年『壬生義士伝』で柴田錬三郎賞をそれぞれ受賞する。著書は『蒼穹の昴』『珍妃の井戸』『シェエラザード』『歩兵の本領』『椿姫』『薔薇盗人』など多数ある。また、本作をもってとりあえず終了するエッセイ『勇気凜凜ルリの色』シリーズも好評。

勇気凜凜《ゆうきりんりん》ルリの色《いろ》　四十肩《しじゅうかた》と恋愛《れんあい》
浅田次郎《あさだじろう》

2000年3月15日第1刷発行
2002年11月29日第8刷発行

発行者——野間佐和子
発行所——株式会社 講談社
東京都文京区音羽2-12-21　〒112-8001
電話　出版部　(03) 5395-3510
　　　販売部　(03) 5395-5817
　　　業務部　(03) 5395-3615

Printed in Japan

講談社文庫
定価はカバーに表示してあります

デザイン—菊地信義
製版——凸版印刷株式会社
印刷——豊国印刷株式会社
製本——株式会社千曲堂

落丁本・乱丁本は購入書店名を明記のうえ、小社書籍業務部あてにお送りください。送料は小社負担にてお取替えします。なお、この本の内容についてのお問い合わせは文庫出版部あてにお願いいたします。

ISBN4-06-264797-4

講談社文庫刊行の辞

二十一世紀の到来を目睫に望みながら、われわれはいま、人類史上かつて例を見ない巨大な転換期をむかえようとしている。

世界も、日本も、激動の予兆に対する期待とおののきを内に蔵して、未知の時代に歩み入ろうとしている。このときにあたり、創業の人野間清治の「ナショナル・エデュケイター」への志を現代に甦らせようと意図して、われわれはここに古今の文芸作品はいうまでもなく、ひろく人文・社会・自然の諸科学から東西の名著を網羅する、新しい綜合文庫の発刊を決意した。

激動の転換期はまた断絶の時代である。われわれは戦後二十五年間の出版文化のありかたへの深い反省をこめて、この断絶の時代にあえて人間的な持続を求めようとする。いたずらに浮薄な商業主義のあだ花を追い求めることなく、長期にわたって良書に生命をあたえようとつとめるところにしか、今後の出版文化の真の繁栄はあり得ないと信じるからである。

同時にわれわれはこの綜合文庫の刊行を通じて、人文・社会・自然の諸科学が、結局人間の学にほかならないことを立証しようと願っている。かつて知識とは、「汝自身を知る」ことにつきていた。現代社会の瑣末な情報の氾濫のなかから、力強い知識の源泉を掘り起し、技術文明のただなかに、生きた人間の姿を復活させること。それこそわれわれの切なる希求である。

われわれは権威に盲従せず、俗流に媚びることなく、渾然一体となって日本の「草の根」をかたちづくる若く新しい世代の人々に、心をこめてこの新しい綜合文庫をおくり届けたい。それは知識の泉であるとともに感受性のふるさとであり、もっとも有機的に組織され、社会に開かれた万人のための大学をめざしている。大方の支援と協力を衷心より切望してやまない。

一九七一年七月

野間省一

講談社文庫　目録

井上ひさし　モッキンポット師の後始末
井上ひさし　モッキンポット師ふたたび
井上ひさし　ナ イ ン
井上ひさし　四千万歩の男全五冊
井上ひさし　百年戦争(上)(下)
井上ひさし・樋口陽一　「日本国憲法」を読み直す
井上ひさし・司馬遼太郎　国家・宗教・日本人
生島治郎　星になれるか
池波正太郎　忍びの女(上)(下)
池波正太郎　近藤勇白書
池波正太郎　まぼろしの城
池波正太郎　私の歳月
池波正太郎　殺しの掟《おきて》
池波正太郎　よい匂いのする一夜
池波正太郎　梅安料理ごよみ
池波正太郎　田園の微風
池波正太郎　新私の歳月
池波正太郎　抜討ち半九郎
池波正太郎　剣法一羽流

池波正太郎　若き獅子
池波正太郎　池波正太郎の映画日記〈1978・2～1984・12〉
池波正太郎　きままな絵筆
池波正太郎　新装版 緑のオリンピア
池波正太郎　新装版 殺しの四人〈仕掛人・藤枝梅安(一)〉
池波正太郎　新装版 梅安蟻地獄〈仕掛人・藤枝梅安(二)〉
池波正太郎　新装版 梅安最合傘〈仕掛人・藤枝梅安(三)〉
池波正太郎　新装版 梅安針供養〈仕掛人・藤枝梅安(四)〉
池波正太郎　新装版 梅安乱れ雲〈仕掛人・藤枝梅安(五)〉
池波正太郎　新装版 梅安影法師〈仕掛人・藤枝梅安(六)〉
池波正太郎　新装版 梅安冬時雨〈仕掛人・藤枝梅安(七)〉
井上　靖　楊貴妃伝
井上　靖　本覚坊遺文
石川英輔　大江戸神仙伝
石川英輔　大江戸仙境録
石川英輔　大江戸えねるぎー事情
石川英輔　大江戸遊仙記
石川英輔　大江戸テクノロジー事情
石川英輔　SF三国志

石川英輔　大江戸仙界紀
石川英輔　大江戸生活事情
石川英輔　大江戸泉光院旅日記
石川英輔　大江戸リサイクル事情
石川英輔　雑学「大江戸庶民事情」
石川英輔　2050年は江戸時代〈衝撃のシミュレーション〉
石川英輔　大江戸仙女暦
石川英輔・田中優子　大江戸ボランティア事情
石川英輔・田中優子　大江戸生活体験事情
石牟礼道子　苦海浄土〈わが水俣病〉
今西祐行　肥後の石工
いわさきちひろ　ちひろのことば
いわさきちひろ・松本　猛　いわさきちひろの絵と心
松本　猛　ちひろへの手紙
いわさきちひろ・絵本美術館編　ちひろ・子どもの情景〈文庫ギャラリー〉
いわさきちひろ・絵本美術館編　ちひろ・紫のメッセージ〈文庫ギャラリー〉
いわさきちひろ・絵本美術館編　ちひろの花ことば〈文庫ギャラリー〉
いわさきちひろ・絵本美術館編　ちひろのアンデルセン〈文庫ギャラリー〉
いわさきちひろ・絵本美術館編　ちひろ・平和への願い〈文庫ギャラリー〉

講談社文庫　目録

石野径一郎　ひめゆりの塔
入江泰吉　大和路のこころ
井沢元彦　猿丸幻視行
井沢元彦　本廟寺焼亡
井沢元彦　六歌仙暗殺考
井沢元彦　修道士の首〈織田信長推理帳①〉
井沢元彦　五つの首〈織田信長推理帳②〉
井沢元彦　謀略の首〈織田信長推理帳③〉
井沢元彦　ダビデの星の暗号
井沢元彦　義経幻殺録
井沢元彦　欲の無い犯罪者
井沢元彦　義経はここにいる
井沢元彦　芭蕉魔星陣
井沢元彦　光と影の武蔵〈切支丹秘録〉
色川武大　明日泣く
一ノ瀬泰造　地雷を踏んだらサヨウナラ
石森章太郎　トキワ荘の青春〈ぼくの漫画修行時代〉
伊藤雅俊　商いの心くばり
泉　麻人　丸の内アフター5

泉　麻人　オフィス街の達人
泉　麻人　地下鉄の友
泉　麻人　地下鉄の素
泉　麻人　地下鉄の穴
泉　麻人（オカシ屋ケン太）　おやつストーリー
泉　麻人　バナナの親子
泉　麻人　東京タワーの見える島
泉　麻人　大東京バス案内《ガイド》
泉　麻人　地下鉄100コラム
一志治夫　僕の名前は。〈アルピニスト野口健の青春〉
伊集院　静　乳房
伊集院　静　遠い昨日
伊集院　静　夢は枯野を〈競輪躁鬱旅行〉
伊集院　静　峠の声
伊集院　静　白秋
伊集院　静　潮流
伊集院　静　機関車先生
伊集院　静　冬の蜻蛉《とんぼ》
伊集院　静　オルゴール

伊集院　静　昨日スケッチ
今邑　彩　金雀枝《えにしだ》荘の殺人
岩崎正吾　信長殺すべし〈異説本能寺〉
井上夢人　おかしな二人〈岡嶋二人盛衰記〉
井上夢人　メドゥサ、鏡をごらん
家田荘子　バブルと寝た女たち
家田荘子　離婚
家田荘子　愛人〈ピュアで危険な愛を選んだ女たち〉
家田荘子　恋愛白書〈モテる男のコたちの性〉
家田荘子　人妻
家田荘子　イエローキャブ
家田荘子　リスキーラブ
井上雅彦　竹馬男の犯罪
池宮彰一郎　高杉晋作(上)(下)
池宮彰一郎　風塵
池部　良　風、凪んでまた吹いて
伊藤結花理　ダンシングダイエット
石坂晴海　やっぱり別れられない〈離婚を選ばなかった夫婦たち〉
石坂晴海　掟やぶりの結婚道〈既婚者にも恋愛を！〉

2002年9月15日現在